Collection
PROFIL LITTÉRATURE
dirigée par Georges Décote

Série
PROFIL D'UNE ŒUVRE

La Bible

D1490494

JEAN-PIERRE JACQUES
agrégé de l'Université

HATIER

Sommaire

© HATIER PARIS JUILLET 1982

Toute représentation, traduction, adaptation ou reproduction, même partielle, par tous procédés, en tous pays, faite sans autorisation préalable est illicite et exposerait le contrevenant à des poursuites judiciaires. Réf. : loi du 11 mars 1957, alinéas 2 et 3 de l'article 41 • Une représentation ou reproduction sans autorisation de l'éditeur ou du Centre Français d'Exploitation du droit de Copie (3, rue Haute-feuille, 75006 Paris) constituerait une contrefaçon sanctionnée par les articles 425 et suivants du Code Pénal.

ISBN 2-218-04755-1

Qu'est-ce que la Bible ?

> « Il dépend de celui qui passe
> Que je sois tourbe ou trésor.
> Que je parle ou me taise,
> Cela ne tient qu'à toi :
> Ami, n'entre pas sans désir. »
>
> Paul Valéry

Très matériellement, la Bible c'est d'abord un « BEST-SELLER ». Mieux : c'est *le* « best-seller ». Aucune œuvre n'est plus éditée, aucune n'est plus vendue, aucune n'a été plus traduite : il y a des bibles en arménien et en chinois, en lituanien et en serbo-croate, en tagalog, en inupik, en swahili... Bref, la Bible est partout présente : 98 % des familles américaines en possèdent une ; dans les grands hôtels intercontinentaux, on en trouve même un exemplaire sur la table de nuit.

Mais, bien sûr, la Bible c'est avant tout un TEXTE SACRÉ : des siècles et des siècles y ont puisé des raisons de vivre ; des millions et des millions d'hommes continuent d'en faire le socle de leur foi.

C'est aussi de la « PHILOSOPHIE EN IMAGES »[1] : à travers l'aventure originale d'un peuple particulier — le peuple juif — et par une suite d'anecdotes exemplaires, de symboles, d'allégories et de mythes, se lit *toute l'histoire du monde* et donc *l'histoire de tout le monde*. Car, se voulant de portée universelle, le « Livre des livres » revêt une dimension métaphysique : ce n'est pas tant l'individu dans sa singularité qui est en cause que l'être humain et les énigmes inhérentes à sa condition.

C'est également un LIVRE DE MORALE. Une morale parfois ambiguë, on le verra, mais une morale dont les grands préceptes n'ont rien perdu de leur pertinence : en ces

1. Cette heureuse formule est de J. Bottéro (voir la bibliographie, p. 77).

temps de détresse et de folie guerrière, le « Tu ne tueras pas » des *Dix Commandements* mériterait d'être mieux entendu.

C'est encore un CHEF-D'ŒUVRE DE LA LITTÉRATURE UNIVERSELLE. La plupart des genres littéraires y sont représentés. Et avec quel brio ! Voyez ces exaltantes épopées, ces romans qui pétillent de vitalité, ces fulgurantes maximes, ces chants d'amour et ces cris de désarroi... La Bible doit aussi se lire pour le « plaisir du texte »[1].

C'est enfin un INÉPUISABLE RÉSERVOIR DE RÊVERIES INDIVIDUELLES ET COLLECTIVES : les artistes n'ont cessé d'y puiser leur inspiration , cependant que, dans l'imaginaire de tout Occidental, croyant ou non, continue de frémir tel ou tel épisode biblique[2].

Si, comme le veut le poète[3], « les pays sans légendes sont condamnés à mourir de froid », alors, il convient d'urgence de revenir à la Bible. Quand on se préoccupe tant de sauvegarder notre patrimoine matériel, pourquoi oublie-t-on si souvent *notre patrimoine d'imaginaire*, dont la Bible demeure la pièce maîtresse ?

Oui, à qui voudra la recevoir, cette œuvre donnera sans compter.

La Bible ? Un livre infiniment généreux.

1. Titre d'un superbe essai de Roland Barthes.
2. Sous la rubrique « Pour mémoire », on trouvera le recensement de ces catalyseurs de la rêverie collective (chap. IV, p. 35).
3. Patrice de la Tour du Pin.

Les références bibliques faites dans ce guide renvoient à la *Traduction œcuménique de la Bible,* la célèbre T.O.B., comme on la désigne communément. Traduction fort plate, il est vrai, mais qui offre un double avantage : elle respecte les options religieuses de chacun ; on en trouve une édition agréable et bon marché dans la collection du « Livre de Poche » (3 volumes).

Il est cependant indispensable de connaître aussi les éditions qui font aujourd'hui autorité. Ce sont :

• *La Bible de Jérusalem* (ainsi appelée parce qu'elle est le fruit des travaux menés par l'École biblique de Jérusalem). Éditeur : Le Cerf.

• *La Bible d'Osty* (traduction dirigée par le chanoine E. Osty). Éditeur : Le Seuil.

• *La Bible de Dhorme* (irremplaçable travail d'Éd. Dhorme). Éditeur : Gallimard, « Bibliothèque de la Pléiade », 3 volumes.

• *La Bible de Chouraqui :* originale et séduisante traduction faite par André Chouraqui. Éditeur : Desclée de Brouwer.

1 Au seuil de la Bible : premiers obstacles

Livre de foi avant tout, la Bible exige de qui veut la lire une idée simple mais claire des convictions qu'elle met en cause. Il convient donc d'utiliser à bon escient un certain nombre de termes.

QUESTION DE MOTS

Pour désigner la Bible, le croyant use de plusieurs dénominations : *l'Écriture sainte, les Saintes Écritures,* ou simplement, *les Écritures, l'Écriture.* A ses yeux, en effet, la Bible est « Le Livre » par excellence, celui qui contient les vérités fondamentales, des origines à la fin des temps. Livre qualifié de « saint », parce qu'il est reconnu comme « inspiré » par Dieu lui-même, qui y a révélé son enseignement et son message.

Voilà ce que représente la Bible pour deux grandes religions, le JUDAÏSME et le CHRISTIANISME, dont se réclame aujourd'hui plus d'un tiers de l'humanité. Cette référence à une même source fait qu'on parle souvent de *judéo-christianisme* et de *judéo-chrétiens,* ou encore, pour désigner un ensemble commun de faits de civilisation, de *culture judéo-chrétienne.*

Le judaïsme

Cette religion a 4 000 ans environ, puisqu'elle est née vers 1800-1700 avant notre ère dans une communauté de bergers du Proche-Orient, les Hébreux[1]. Le patriarche Abra-

---

1. *Hébreu* : terme délicat à employer. C'est d'abord un nom qui désigne soit l'ancien peuple d'Israël (les *Hébreux*), soit la langue (*l'hébreu biblique ; l'hébreu moderne*). C'est aussi un adjectif, mais qui ne s'utilise qu'au masculin (*le peuple hébreu*). Quant à l'adjectif *hébraïque*, il est masculin et féminin (*un nom hébraïque ; la Bible hébraïque*).

ham, le chef de la tribu, le grand ancêtre des Juifs, eut la révélation que Dieu avait *choisi* son peuple pour un destin exemplaire : distingué parmi toutes les nations de la terre, le clan d'Abraham devint ainsi « le peuple élu ». Jacob, petit-fils d'Abraham, était appelé aussi « Israël ». D'où les dénominations de *peuple d'Israël* et d'*Israélites* pour désigner les descendants des anciens Hébreux.

Au cours des siècles qui suivirent, les Israélites maintinrent avec Dieu un dialogue privilégié : en particulier, vers 1250-1230 avant notre ère, leur chef Moïse reçut au mont Sinaï les Tables de la loi, les fameux Dix Commandements (ou Décalogue), qui sont le socle juridico-religieux du judaïsme. Pour l'Israélite, le cœur de la Bible, c'est bien la *Loi mosaïque*, la *Loi de Moïse*, la *Torah*[1].

A plusieurs reprises, Dieu renouvela l'« Alliance » qu'il avait passée avec son peuple. « Alliance » accompagnée d'une promesse : celle d'envoyer un « *messie* » chargé de sauver le monde et d'instaurer un ordre nouveau fait de justice et de bonheur. Pour le judaïsme, le *Rédempteur*, c'est-à-dire l'Envoyé divin qui rachètera l'humanité de toutes ses fautes, n'est pas encore venu, car le Christ n'est pas reconnu comme « Messie » par cette religion.

Dans la pratique, on considérera que *juif* et *israélite* sont synonymes. Pourtant, on notera que le terme *israélite* se réfère davantage à une foi et à une pratique religieuses. *Juif*, en revanche, dénote plutôt l'appartenance à une culture — profondément marquée par la religion, il est vrai —, mais le mot n'implique nullement une conviction religieuse : il y a des Juifs athées et des Juifs pratiquants ; il ne saurait y avoir d'Israélites incroyants. Enfin, on prendra garde qu'un *Israélien* - le mot est de création récente - est un citoyen de l'État moderne d'Israël.

---

1. *La Torah* (autres graphies : *Thora* ou *Tora*) : en hébreu, ce mot signifie la « loi », l'« enseignement ». Il a trois acceptions : 1) C'est la Loi de Moïse. 2) C'est le Pentateuque, c'est-à-dire les cinq premiers livres bibliques, où est énoncée cette loi. 3) C'est le rouleau de parchemin où est recopié à la main, selon un strict rituel, le texte du Pentateuque, et que les Israélites vénèrent dans la synagogue.

Le christianisme

Entre le judaïsme et le christianisme, il existe un rapport de filiation : le judaïsme est la religion mère. En effet, le christianisme fut au départ une des innombrables sectes — le terme n'a rien de péjoratif — qui florissaient dans la communauté juive aux débuts de notre ère. Et l'on se souviendra que les premiers chrétiens, à commencer par les Apôtres, étaient initialement de confession juive.

Mais une question ne tarda pas à séparer les uns et les autres : *qui donc était ce Jésus de Nazareth dont on faisait si grand bruit ?* Un prophète, comme l'histoire d'Israël en avait déjà tant comptés ? Un sage parmi les sages ? Ou le Messie promis par Dieu ? Les chrétiens, eux, étaient formels : oui, Jésus était bien le « Christos »[1], l'Envoyé divin venu ici-bas pour sauver une humanité dévoyée.

La question du Messie — venu ou à venir ? — entraîna la rupture : dans les années 60-70 de notre ère, le christianisme est devenu une religion distincte et autonome, qui a coupé les derniers liens qui l'unissaient à la religion mère.

Mais dans sa propre histoire, le christianisme va à son tour connaître des divisions internes. Ce qui explique que les chrétiens sont aujourd'hui divisés en trois groupes principaux : les *catholiques,* les *orthodoxes* et les *protestants*. Comment en est-on arrivé là ?

• *Catholiques et orthodoxes*

Le christianisme se répand vite dans l'immense Empire romain, tant en Orient qu'en Occident[2]. En 313, par l'Édit de Milan, l'empereur Constantin proclame la liberté religieuse dans tout l'Empire. Dès lors, le christianisme devient religion officielle : tous les empereurs romains, sauf un[3], seront chrétiens.

Pourtant, entre les chrétiens occidentaux et les chrétiens orientaux, entre la Rome latine et la Constantinople grec-

---

1. « Christos » : mot grec qui traduit l'hébreu *mashiah,* le « Messie », l'« Oint » du Seigneur, l'Envoyé divin.
2. Pour plus de précisions historiques, on se reportera au chap. III, p. 25.
3. Il s'agit du propre neveu de Constantin, Julien, qui régna de 361 à 363. Il renia le christianisme et tenta de rétablir le paganisme. D'où le nom qui lui est resté : Julien l'Apostat.

que, le fossé ne cesse de se creuser, pour aboutir, après des siècles de tortueux conflits, au *schisme de 1054* : l'Église d'Occident devient alors *l'Église catholique*[1] et voit dans le pape son chef suprême. L'Église d'Orient, quant à elle, se déclare *orthodoxe*[2], c'est-à-dire dans la « droite » ligne du christianisme originel, et rejette la suprématie papale.

• *Catholiques et protestants*

Cinq siècles plus tard, le catholicisme lui-même est déchiré. Dès la fin du XVe siècle, de nombreux catholiques émettent de vigoureuses « protestations » contre les abus dont se rend coupable la hiérarchie ecclésiastique : ils exigent une « réforme » qui soit un retour régénérateur aux sources bibliques. De là vient l'appellation de *Réforme* par laquelle on désigne souvent le protestantisme. Ces divers mouvements, animés notamment par des personnalités comme Luther (1483-1546) et Calvin (1509-1564), se soldèrent par l'apparition d'une multitude d'Églises séparées de Rome — l'Église luthérienne, l'Église calviniste, etc. — qui, toutes, pourtant, se réclament de la Bible.

• *L'œcuménisme*[3]

De nos jours, les chrétiens divisés aspirent de plus en plus au rapprochement : cette bonne volonté unitaire s'appelle l'*œcuménisme*. Dans le domaine qui nous intéresse, elle s'est récemment concrétisée en donnant naissance à une traduction commune de la Bible : c'est la *Traduction œcuménique de la Bible,* la déjà célébrissime T.O.B.

SE REPÉRER DANS LA BIBLE

Désormais muni d'une terminologie précise, le lecteur bute contre un nouvel obstacle : comment se repérer dans ce millier de pages ?

Originellement, le mot « bible » est un pluriel : en grec *ta biblia* signifie *les livres*. Étymologie éloquente : la Bible

---

1. L'adjectif grec « katholikos » signifie « universel ».
2. *Orthodoxe* : mot à mot, « d'une droite croyance » (en grec, « orthos » = droit et « doxa » = la croyance, l'opinion).
3. *Œcuménisme* : du grec *oikouménos*, qui signifie « universel ».

est constituée d'une pluralité d'ouvrages, de longueur, de forme et d'époque très variées. Mais , au cours des âges, on a mis de l'ordre dans ce désordre initial : classements et regroupements, divisions et subdivisions ont fait que nous lisons aujourd'hui une Bible clairement structurée[1], dont voici la « maquette » :

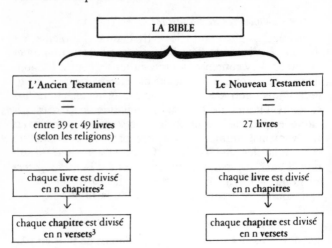

Dans une bible, les chapitres sont numérotés en gras. Les versets, eux, sont notés à l'intérieur du texte par de petits chiffres. Ouvrons, par exemple, la Bible à la première page :

1 Lorsque Dieu commença la création du ciel et de la terre, **2** la terre était déserte et vide, et la ténèbre à la surface de l'abîme ; le souffle de Dieu planait à la surface des eaux, **3** et Dieu dit : « Que la lumière soit ! » Et la lumière fut.

Nous venons de lire les trois premiers versets du premier chapitre de la Genèse, le livre qui inaugure la Bible.

1. C'est au XIIIe siècle qu'on a procédé à la division en chapitres, et au XVIe qu'on a subdivisé les chapitres en versets.
2. Une exception : le livre des Psaumes, dont les 150 poèmes sont simplement numérotés de 1 à 150.
3. Un *verset* : très bref ensemble (quelques lignes, quelques mots) qui présente généralement un sens complet.

Quand on fait une référence à un texte biblique, il est d'usage de recourir à des abréviations. Par exemple : Gn 1,3. Ou encore : Is 7, 14-21 ; 2 Co 3,5. Les lettres désignent le livre dont est tirée la citation. Toute bible comporte une table alphabétique des abréviations utilisées. Le premier chiffre qui suit les lettres indique le chapitre. Le chiffre après la virgule indique le verset.

Exemple : Gn 1,3 = le livre de la Genèse, chapitre I, verset 3.

Plusieurs chiffres après la virgule signalent qu'on se réfère à un passage plus long.

Exemple : Is 7, 14-21 = livre d'Isaïe, chap. VII, du verset 14 au verset 21.

Dernier cas possible : dans la référence, les lettres sont précédées du chiffre 1 ou 2. C'est la manière de distinguer deux livres qui portent le même titre.

Exemple : 2 Co 3,6 = Deuxième Épître de Paul aux Corinthiens, chap. III, verset 6.

2 | Trois problèmes de méthode

Imaginez une anthologie qui regrouperait les pages marquantes de notre littérature : elle couvrirait un espace temporel d'environ douze siècles, des Serments de Strasbourg[1] au dernier prix Goncourt. Il en va de même pour la Bible, qui est un florilège de textes variés dont la composition s'est étendue sur quelque douze cents ans.

C'est assez dire que le recueil biblique n'est pas tombé du ciel un beau matin, sous la forme définitive que nous lui connaissons maintenant. Il est le résultat d'une élaboration humaine qui fut lente, difficile et passionnée. Bien des étapes de cette histoire nous demeurent mystérieuses et, dans un domaine où les hypothèses sont plus nombreuses que les certitudes, la découverte d'un nouveau document archéologique peut, à tout moment, bouleverser les conceptions les mieux établies. Lire la Bible, c'est aussi prendre une nette conscience des problèmes méthodologiques que soulève sa laborieuse formation.

QUELLE BIBLE ?

Parler des « bibles », en usant du pluriel, serait plus juste que d'employer le tour coutumier : « la Bible ». Car la Bible hébraïque n'est pas la Bible des catholiques et des orthodoxes, qui, elle-même, diffère singulièrement de la Bible protestante. Quant à la Bible œcuménique, elle résulte, on s'en souvient, d'un compromis entre les diverses versions chrétiennes.

1. *Les Serments de Strasbourg* : premier texte connu écrit en roman, forme primitive de l'ancien français. On considère donc l'année 842 comme la date de naissance de notre langue.

Voici ce que recouvre la dénomination générale de « bible » pour les principales religions qui s'en réclament :

— **La Bible hébraïque** : un « Ancien Testament »[1] de 39 livres[2].

— **La bible protestante** : 66 livres. Soit les 39 livres de la Bible hébraïque (= l'Ancien Testament) et les 27 du Nouveau.

— **La Bible catholique** (et **La Bible orthodoxe**[3]) : 76 livres. Un Ancien Testament plus étoffé de 49 livres et le Nouveau Testament, commun à tous les chrétiens.

La longue histoire des textes bibliques permet de comprendre le pourquoi de cette pluralité fondamentale.

La genèse de la Bible hébraïque

Considérée sous l'angle de son élaboration, l'œuvre biblique n'est pas un cas isolé. Elle est à replacer dans ce qu'il est convenu d'appeler la « petite littérature »[4], dénomination nullement dépréciative, qui sert simplement à désigner un type d'ouvrage dont la formation peut se décomposer comme suit :

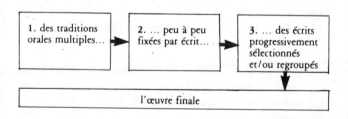

1. des traditions orales multiples... → 2. ... peu à peu fixées par écrit... → 3. ... des écrits progressivement sélectionnés et/ou regroupés

l'œuvre finale

---

1. Mais il faut prendre garde que l'appellation d'« Ancien Testament » est exclusivement chrétienne. Les israélites ne sauraient l'employer, puisque, pour eux, il n'y a pas de Nouveau Testament.
2. On rencontrera parfois un chiffre inférieur, car il est d'usage dans la Bible hébraïque de regrouper certains livres : ainsi, les deux livres de Samuel ou les « Douze Petits Prophètes » sont habituellement réunis.
3. Il existe de très légères différences entre la Bible « romaine » et la Bible « grecque », que les dimensions limitées de ce guide ne nous permettent pas de recenser.
4. La critique allemande use de l'expression moins équivoque de « *Volksliteratur* », la « littérature du peuple ». Quelques exemples de ce type d'œuvres : l'épopée babylonienne de *Gilgamesh*, sans doute l'œuvre littéraire la plus vieille du monde (vers 2000 av. J.-C.), les poèmes d'Homère, nos chansons de geste, etc.

• *Première étape : les traditions orales d'un peuple*
Une communauté se définit d'abord par sa mémoire collective. De génération en génération, le groupe se transmet oralement les souvenirs saillants de son passé : un épisode de son histoire, les hauts faits de quelque héros, ou encore les paroles mémorables de tel ou tel sage... Telle est bien l'origine de la Bible : ses racines sont à rechercher dans la mémoire collective de l'ancienne nation d'Israël.

 • *Deuxième étape : de l'oral aux écrits*
Parmi les innombrables traditions orales, certaines, revêtues d'un prestige particulier en raison de leur antiquité, de leur valeur cultuelle ou de leur portée politique et juridique, sont bientôt fixées par écrit. Chez les Hébreux, qui connaissaient l'écriture dès le XIIIe siècle avant notre ère, les plus anciennes transcriptions ont dû se faire vers le XIe siècle. Peu à peu, les textes sont venus s'ajouter aux textes, et, sur des centaines d'années, se sont constitués des ensembles narratifs, parfois contradictoires, souvent répétitifs, mais qui tous étaient axés autour d'un même sujet : l'histoire du peuple « élu » par Dieu. Tant et si bien que coexistèrent pendant longtemps plusieurs versions de ce qui deviendra la Bible hébraïque et l'Ancien Testament chrétien.

 • *Troisième étape : des écrits à l'Écriture*
Devant un tel foisonnement d'écrits, s'imposa peu à peu la nécessité d'établir un texte unique et clairement défini, qui pût être une référence indiscutable pour tous. Cette entreprise fut menée par des spécialistes, les *Docteurs de la Loi*[1] et les *rabbins*[2]. À la fin du Ier siècle de notre ère, après de longues et laborieuses discussions, ils dressèrent la liste normative des 39 livres qui constituent le *canon*[3] juif.

Alors, quel est donc l'auteur de la Bible ? Cette question, toujours posée, trouve ici sa réponse : la Bible n'a pas *un* auteur, au sens où l'on dit, par exemple, que Chateaubriand est l'auteur de *René*. Elle est l'œuvre d'une multi-

---

1. Chez les Juifs, les *Docteurs de la Loi* étaient des érudits versés dans l'étude des textes saints (latin *doctus* = savant).
2. De même, le *rabbin* (hébreu *rabbi* = maître) n'est pas un prêtre au sens catholique du mot : c'est d'abord un homme qui a tout spécialement étudié les livres religieux.
3. *Canon* : du grec *kanôn*, la règle, le modèle, la norme.

tude de créateurs inspirés, êtres de sagesse et de savoir, qui, au cours des siècles, ont parlé à Dieu au nom des hommes et aux hommes au nom de Dieu. Car tel est bien le sens étymologique du mot « *prophète* »[1] : non point tant un devin qui connaîtrait les secrets du futur, qu'un porte-parole et un porte-voix.

Il faut tenir compte encore de tous les anonymes qui, au long des âges, ont copié et recopié, manié et remanié les textes : ces *scribes* et ces *Docteurs* qui, œuvrant en équipes, ont inlassablement recensé les manuscrits, ordonnant les uns, éliminant les autres, refondant le tout, dans un souci constant de relire le passé à la lumière de l'expérience présente. Si obscurs qu'ils soient, ils méritent d'être regardés comme les coauteurs de la Bible.

Sachant désormais comment s'est façonnée la plus ancienne partie de la Bible, le lecteur moderne ne s'étonnera pas d'y découvrir des redites et des contradictions, indices de son origine composite. Ainsi, l'ensemble des cinq premiers livres bibliques, le Pentateuque, est-il formé d'au moins quatre traditions imbriquées. Ce qui explique, par exemple, qu'on trouve dans la Genèse deux récits différents de la création du monde et d'Adam, deux narrations du Déluge. Dans le 1er livre de Samuel, Saül accède au trône de trois manières distinctes ! Même le Décalogue, pourtant considéré comme de la propre main de Moïse, se présente sous deux versions[2].

La genèse de la Bible chrétienne

Fils du judaïsme, le christianisme reprit à son compte les textes sacrés des Juifs. Mais il y ajouta ses propres écrits. Apparut alors la distinction fondamentale entre Ancien et Nouveau Testament — distinction spécifiquement chrétienne, répétons-le.

Le vocable de *testament* était originellement un terme du vocabulaire juridique : le *testamentum*, c'était le contrat que passaient deux personnes. Cet acte de la vie quotidienne a servi de métaphore pour désigner le lien privilégié qui unit l'homme à la divinité : l'*Ancien Testament*, c'est

1. *Prophète* : du grec *pro-* (= pour) et *phètès* (= le « parleur »).
2. Ex 20 et Dt 5.

le contrat d'alliance proposé par Dieu au petit peuple hébreu.

Pour l'israélite, seule importe l'« Ancienne Alliance », celle-là qui fut conclue entre Dieu et l'ancêtre Abraham. Mais pour le chrétien, il y a un « nouveau pacte », puisque, en envoyant son fils Jésus auprès des hommes, Dieu a pleinement réalisé la promesse faite jadis de dépêcher un sauveur universel. La mission terrestre de Jésus est donc à leurs yeux l'accomplissement du « premier contrat ». Voilà ce qui distingue fondamentalement l'Ancien Testament du Nouveau.

Cependant, comme pour la Bible hébraïque, le canon chrétien ne s'est pas imposé d'emblée.

• De la vie de Jésus aux écrits sur Jésus

Jésus n'a rien écrit. Il a agi. Il a parlé. De même que nous ne connaissons Socrate que par les écrits de ses proches, nous ne connaissons Jésus que par des témoignages.

Après sa mort, vers l'année 30 de l'ère qui porte son nom, ses disciples sillonnèrent l'immensité de l'Empire romain pour apporter partout l'*Évangélion* — mot grec qui signifie l'« heureuse nouvelle » : oui, Jésus de Nazareth était le Sauveur annoncé par les anciens prophètes d'Israël, il était bien l'Envoyé de Dieu, le « Christos ».

Cet enseignement oral ne tarda pas à se doubler d'une parole écrite : dès 50, Paul commença à rédiger sa série de lettres destinées à diverses communautés judéo-chrétiennes. Et ce fut bientôt une prolifération de recueils qui colportaient les souvenirs vécus des compagnons de Jésus, ses propos, ses actions miraculeuses, sa biographie, mais aussi des anecdotes enfantées par un imaginaire collectif toujours assoiffé de spectaculaire et d'inédit[1].

• De la pluralité à la nécessaire unité

Vers 150, l'Église chrétienne n'est encore qu'une Église « éclatée », dont les nombreuses collectivités, disséminées sur le littoral méditerranéen, gardent chacune leurs traits

1. Ainsi qu'on le verra dans l'analyse des Évangiles (chap. V, p. 48), on connaît finalement peu de chose de la biographie de Jésus. Très vite, le mystère qui planait autour de pans entiers de sa vie a catalysé les rêveries : qui était Marie ? qui était Joseph ? Jésus avait-il des frères et sœurs, ainsi que semble l'indiquer Marc (Mc 3, 31) ? Autant d'excitantes questions soumises à la créativité des imaginatifs.

originaux. Pour survivre, elle doit d'abord passer par l'institution d'un canon fixe et universellement reconnu.

A l'époque, la situation est la suivante : certains textes, comme les Épîtres de Paul, se sont imposés d'eux-mêmes dans la pratique. Telle communauté chrétienne les lisait, les commentait, puis les recopiait pour les « ventiler » vers la communauté voisine. Mais que faire de tous les autres écrits qui circulaient ici et là ? Que faire de ces innombrables *Évangiles*, de ces romanesques *Vies de Marie*, de cette pléthore d'*Apocalypses* ?

Là encore, les polémiques furent ardentes. Elles aboutirent à la fin du IVᵉ siècle seulement : le canon du Nouveau Testament fut alors arrêté selon un strict principe d'élimination. Seuls 27 livres furent reconnus comme « inspirés ». Tous les autres furent proclamés « apocryphes »[1]. Par la même occasion, fut précisé le contenu officiel de l'Ancien Testament : aux 39 livres du canon hébraïque — mais classés selon un ordre différent — furent adjoints les livres dits « deutérocanoniques »[2]. Au XVIᵉ siècle, lors de la Réforme, les protestants les considérèrent comme « apocryphes » et s'en tinrent à la liste juive.

QUELLE TRADUCTION ?

On connaît l'adage : *Traduire, c'est trahir.* Adage d'une cruelle vérité quand il s'agit de rendre un texte aussi composite que la Bible, texte écrit en trois langues dont l'archaïsme est pour le traducteur une suite ininterrompue de traquenards. Lire la Bible, c'est aussi savoir qu'on n'en lit qu'un reflet inévitablement déformé.

La Bible a donc été écrite en trois langues :

1. **L'hébreu** : la majeure partie de l'Ancien Testament a été écrite en hébreu. Pourtant, dès le VIᵉ siècle avant notre ère, ce n'était plus la langue de la vie quotidienne : il était

---

1. *Apocryphe* : mot d'origine grecque, qui a pour sens « faux », ou du moins « d'une authenticité incertaine ». Pourtant, les livres « apocryphes » restent d'une lecture stimulante, et qui veut mieux connaître les courants de pensée qui traversent le Nouveau Testament, se doit de les lire. Citons par exemple : l'Évangile de Jacques, ceux de Thomas et de Pierre, etc.
2. *Deutérocanonique* : mot à mot, « du deuxième canon », par opposition au premier canon, celui de la Bible hébraïque.

réservé au domaine religieux, et, seule, une élite le parlait encore[1].

2. **L'araméen** : quelques passages limités de l'Ancien Testament sont écrits en araméen, langue apparentée à l'hébreu, devenue la langue courante chez les Juifs de Palestine. Jésus, par exemple, s'exprimait vraisemblablement en araméen.

3. **Le grec** : de brefs morceaux de l'Ancien Testament et la totalité du Nouveau[2] sont en grec. De fait, depuis Alexandre et ses successeurs[3], le grec s'était répandu dans tout le Proche-Orient ancien.

• *Les traductions araméennes*

Ainsi, circulèrent très tôt des TARGUMS[4], traductions très libres qui paraphrasaient en araméen les écrits bibliques.

• *La traduction grecque*

Mais la grande traduction du temps fut celle des SEPTANTE, mot qui signifie les « soixante-dix ». Il y avait à Alexandrie, en Égypte, une communauté juive considérable. Comme tous les Alexandrins d'alors, elle parlait grec. C'est pour elle que fut traduite en cette langue la Bible hébraïque, et ce, dès le IIIᵉ siècle av. J.-C. Traduction si marquante que sa naissance s'auréola vite d'une prestigieuse légende : soixante-douze rabbins, disait-on, répartis en douze groupes de six, autant que les Douze tribus d'Israël[5], furent isolés dans une île avec mission de traduire le texte biblique. Soixante-douze jours plus tard, on compara les douze versions : elles étaient identiques.

• *La traduction latine*

Avec l'expansion de l'Empire romain[6], le latin relaie le grec en Occident comme langue culturelle. Apparurent ainsi des traductions latines de l'Ancien Testament, adap-

1. Quant à l'hébreu moderne, aujourd'hui parlé en Israël, il ne date que de la seconde moitié du XIXᵉ siècle. Il diffère beaucoup de l'hébreu biblique.
2. Une exception : les spécialistes actuels estiment que l'Évangile de Matthieu a d'abord été rédigé en araméen. Mais ce n'est qu'une hypothèse.
3. Voir chapitre III, p. 32.
4. Un *targum* (on prononce « tar*goum* ») : mot hébreu qui signifie « traduction ».
5. Cf. chap. III, p. 28.
6. Cf. chap. III, p. 33.

tations souvent approximatives de la Septante, car celle-ci restait la référence suprême : ce fut elle, par exemple, que pratiquèrent les auteurs du Nouveau Testament.

Enfin Jérôme vint : ce saint homme vivait au IVe siècle de notre ère. Il résolut de mettre son immense savoir et sa pétillante intelligence au service d'une grande cause : une traduction latine de la Bible qui fût *intégrale* et qui, surtout, fût faite *à partir des manuscrits originaux*. Et puis, la perspective que son ouvrage supplanterait l'encombrante Septante ne déplaisait pas au fougueux Jérôme. Le voilà donc qui s'installe à Bethléem où il passe quinze ans à travailler sans relâche sur les grimoires hébreux et grecs. On comprend que Jérôme ait depuis mérité d'être promu saint patron des traducteurs et des intellectuels.

Au Moyen Âge, la version de Jérôme était si utilisée qu'on l'appelait le « textus vulgatus », le « texte usuel ». D'où son nom moderne de VULGATE. Elle est encore la version biblique officielle de l'Église catholique.

Les TARGUMS, la SEPTANTE, la VULGATE : telles sont donc les traductions majeures que nous a léguées le passé. Mais leur intérêt n'est pas seulement d'ordre historique : pratiquées pendant des siècles et des siècles, retraduites et commentées par les uns et les autres, elles ont fini par former un écran opaque entre les écrits originels et le lecteur moderne. Les contresens se sont accumulés au cours des âges ; des mécanismes de traduction, parés de l'autorité des ans, se sont métamorphosés en vérités indiscutables. L'exemple le plus fameux du contresens qui continue à exercer ses ravages dans l'opinion contemporaine, c'est celui de la *pomme* que « notre grand-mère » Ève aurait « croquée » dans le jardin d'Éden. Voilà ce qu'on s'obstine à répéter depuis le Moyen Âge. Or, nulle trace de pomme dans la Bible, ni l'ombre du moindre pommier ! On y évoque seulement l'« arbre de la connaissance du bien et du mal ». Mais, comme en latin le mot *malum* (le mal) a un homonyme qui signifie la *pomme*, certains clercs médiévaux, qui sans doute avaient dû apprendre la langue de Cicéron du côté des cuisines, transformèrent l'arbre symbolique en un pommier bien concret. Et la confusion connut le succès que l'on sait.

Grâce au progrès de la philologie et des sciences bibliques, les traductions modernes peuvent être infiniment plus rigoureuses. Néanmoins, de nombreux problèmes ne reçoivent que des solutions décevantes, parce qu'elles sont des compromis. Le lecteur ne devra donc jamais s'étonner de sans cesse rencontrer en bas des pages de sa bible des notes proposant une « autre traduction possible ».

Une fois critiquement établi le texte à traduire, une multitude de questions épineuses se posent au traducteur. En voici quelques échantillons :

— *Les noms propres.*

Faut-il adopter les vocables originels ou leurs équivalents francisés et consacrés par l'usage ? « Elohim » ou « Dieu » ? « Hawah » ou « Ève » ? « Moshé » ou « Moïse » ?

— *Les jeux de mots.*

Ils sont légion. Et l'on sait que Jésus lui-même ne craignait pas le calembour. On connaît le plus célèbre : « Tu es *Pierre*, et sur cette *pierre* je bâtirai mon Église » (Mt 16,18). Ici, le jeu verbal a pu être rendu, mais d'ordinaire, c'est chose impossible. Soit, par exemple, le verset de la Genèse : « Le Seigneur Dieu modela l'*homme* avec de la poussière prise du *sol* » (Gn 2,7). Comment comprendre cet extrait si l'on ignore qu'en hébreu « homme » se dit « âdâm » et « sol », « adâmâ » ?

— *Les introuvables équivalents.*

Chaque langue a son lexique propre, ses structures singulières, son organisation spécifique. Passer d'une langue à une autre revient à entrer dans un nouvel univers. A fortiori, quand il s'agit de transposer en français moderne des langues aussi éloignées de la nôtre que l'hébreu et le grec bibliques ! Le lecteur risque fort d'être totalement dépaysé devant des tournures étranges parce qu'étrangères, des mentalités impénétrables, des faits de civilisation tombés dans l'oubli. D'où la nécessité de trouver des équivalents qui répondent à une double nécessité : la *fidélité* au texte originel ; l'*intelligibilité* pour des sensibilités contemporaines. Insoutenable gageure !

Imaginons, à titre d'exemple, notre malheureux traducteur aux prises avec le premier mot de la Bible : *Béréshit*. Ce terme hébraïque est un composé de la préposition *be* (= « dans »), du nom *rosh* (= « tête ») et du suffixe -*it* qui confère à l'ensemble une valeur abstraite. L'équivalent français idéal serait donc celui qui remplirait les quatre conditions suivantes : 1. Se présenter sous la forme d'un seul vocable, comme *béréshit*, qui est mot unique. 2. Être en même temps concret (comme « tête ») et abstrait (comme « commencement »). 3. Pouvoir se construire en début de phrase. 4. Commencer par un B, car toute une tradition judaïque considère comme hautement symbolique que le *premier* mot de la Bible ait pour initiale la *deuxième* lettre de l'alphabet.

Autant dire qu'une telle merveille n'existe pas dans notre langue et que les traductions habituelles (« au commencement », « à l'origine », « d'abord »...) sont fatalement déficientes. Mais traduire « béréshit » par le néologisme « entête », comme le fait André Chouraqui dans son admirable travail de retour à la « nudité originelle »[1] du texte saint, c'est aussi courir le risque de colorer les mots d'un exotisme et d'une poésie qu'ils n'avaient peut-être pas quand ils furent écrits.

QUELLE INTERPRÉTATION ?

Selon une vieille légende d'Israël, Dieu parla un jour au Sinaï devant une foule de 600 000 personnes. Or, les 600 000 auditeurs entendirent 600 000 discours différents. Le symbolisme est clair : innombrables sont les « écoutes » possibles de la Bible. Ouverte à l'infini, cette œuvre est inépuisable : aucun commentaire n'en saurait tarir les richesses. Bien lire la Bible, c'est donc aussi l'*interpréter*. C'est toujours, plus ou moins, la *recréer*[2], car cet appel ne prend sens que si le lecteur y répond par une vivante et vivifiante collaboration.

---

1. *La Bible, traduite et présentée par A. Chouraqui*, Desclée de Brouwer, 1974-1975, 16 volumes.
2. On demandait à ce grand amoureux de la Bible qu'est Michel Tournier : « Pour qui la Bible a-t-elle été écrite ? » Il répondit : « Mais pour moi ! » Chacun ne pourrait-il pas faire sienne cette réponse ?

Pour le *judaïsme,* l'exégèse biblique, c'est-à-dire l'interprétation de l'Écriture, n'est pas une activité annexe, voire parasite : elle est une exigence vitale ; sans elle, les textes saints seraient des textes morts et gelés. C'est pourquoi, on l'oublie trop souvent, le judaïsme ne se réduit pas au seul Ancien Testament : les commentaires bibliques que sont le TALMUD et le ZOHAR revêtent aux yeux de l'israélite une importance primordiale.

• Le Talmud

En hébreu, ce mot signifie « enseignement », « étude ». Le Talmud est un immense ensemble de dizaines et de dizaines d'ouvrages, rédigés sur près de sept siècles par des centaines d'auteurs. De quoi s'agit-il ?

Pour la religion juive, toutes les lignes de conduite, même celles qui doivent régir les plus petits faits du quotidien, sont édictées par la Torah, la Loi écrite de Moïse[1]. Mais celle-ci, précisément parce qu'elle est d'une portée universelle, doit constamment être réactualisée et relue à la lumière du présent. Ce travail ininterrompu d'adaptation aux temps nouveaux, commencé très tôt, a été le fait d'hommes compétents, sages, docteurs et rabbins.

• Le Zohar

C'est ainsi qu'on appelle communément le SEPHER HA ZOHAR, le *Livre des Splendeurs.* Ce recueil, qui fut parachevé au Moyen Âge (XIIIe siècle), constitue le plus éminent recueil de la littérature dite « kabbalistique ». La Kabbale[2] est une doctrine ésotérique, c'est-à-dire réservée aux initiés, à ceux qui se donnent la peine d'y accéder. Elle se fonde sur deux principes :

1. *Le texte biblique est un véritable message chiffré,* envoyé aux hommes par Dieu. Tout y a sens, mais sens caché. Déchiffrer ce code permet de découvrir des vérités supérieures. La Kabbale est donc une démarche mystique.

2. *La clé du code est la langue hébraïque* : en hébreu, les vingt-deux lettres de l'alphabet servent aussi de chiffres.

---

1. Ainsi, on recense dans la Torah 248 commandements et 365 prohibitions.
2. *Kabbale* : du mot hébreu « kabbalah », la tradition.

Les neuf premières expriment les unités ; les neuf suivantes, les dizaines ; les quatre dernières, les centaines[1]. Dès lors, tout mot peut aussi se lire comme un nombre. Et, en procédant à des manipulations plus ou moins complexes, il est possible de donner d'un même texte des interprétations multiples. Ainsi, pour la Kabbale, le fameux « béréshit » qui inaugure la Bible peut revêtir soixante-dix significations différentes[2].

Ajoutez que dans la Bible les nombres eux-mêmes sont omniprésents : âge des patriarches, listes généalogiques, repères chronologiques, énumérations de toute espèce. Grâce à la méthode kabbalistique, on peut « traduire » en mots ces continuelles indications numériques. Et le texte de livrer alors des sens imprévus…

Enfin, depuis longtemps, on a été frappé par la structure harmonieuse de certains livres bibliques - structure fondée sur le retour incessant de nombres privilégiés. Saisissante, par exemple, est la reprise du 7 dans la Genèse : la Création a lieu en 7 jours ; le premier verset compte en hébreu 7 mots ; le second en a 14 (7×2) ; *Elohim*, le nom de Dieu, revient 35 fois dans le récit (7×5) ; le mot *terre*, 21 fois (7×3) ; même chose pour *ciel* ; 7 fois se retrouve le terme *bien* ; la narration de la Création s'étend sur 56 versets ($7 \times 7 = 49 + 7$) ; etc.

Hasard ? Signe d'une inspiration divine ? Techniques d'écriture et de composition qui se pratiquaient alors dans les écoles de scribes et qui sont aujourd'hui oubliées ? La sagacité des exégètes est mise à rude épreuve. Toutes les hypothèses ont été avancées, même les plus farfelues : on vous reparle de l'inévitable Atlantide ; on mobilise les « Martiens » et autres extraterrestres… La Kabbale, on le voit, ouvre de larges horizons — surtout quand elle est utilisée avec hâte et distraction.

Et le *christianisme*, quelle place accorde-t-il à l'interprétation de la Bible ? A ses débuts, une place considérable.

---

1. Pour mieux comprendre la chose, on songera au système latin :
V = 5, L = 50, C = 100, D = 500 …
2. Autres exemples : *Dieu* = 13 ; *Amour* = 13 ; *Dieu* + *Amour* = 26 ; or, 26 est la traduction numérique du mot *Yavhé* ! De même *Adam* (= 45) – *Ève* (= 19) = 26 = Yavhé !

Car, pour les premiers chrétiens, il fallait absolument *démontrer* aux Juifs que Jésus était bien le Messie annoncé par les anciens prophètes d'Israël : on se mit donc à relire les textes saints d'un œil scrutateur, en y recherchant systématiquement les signes avant-coureurs de la venue de Jésus sur terre — quitte, parfois, à faire dire aux écrits plus qu'ils ne disaient.

Mais après tout, Jésus lui-même ne recourait-il pas constamment à la *parabole*, qui, par nature, exige l'interprétation ? Aussi, Paul est-il dans la droite ligne du Maître quand, dans la IIᵉ Épître aux Corinthiens, il oppose « la lettre qui tue » à « l'Esprit qui vivifie » (2 Co 3,6), la *stérilité du sens littéral à la fécondité de l'interprétation symbolique*.

Le travail interprétatif fut poursuivi par les Pères de l'Église, brillants théologiens comme Ambroise, Augustin, Jérôme ou Jean Chrysostome[1], qui, par leurs écrits surabondants, ont beaucoup contribué à définir et préciser les croyances officielles de la religion chrétienne. Activité indispensable si l'on songe à la complexité qui fut celle de la formation du texte biblique, aux inévitables contradictions qui en résultent.

Aujourd'hui, la position des différentes Églises en cette affaire est la suivante : à côté des *dogmes*, c'est-à-dire des points essentiels de la foi, le christianisme accepte ce qu'il appelle des « opinions libres », des interprétations laissées à la discrétion de chacun. Il est évident, par exemple, qu'un livre aussi obscurément symbolique que l'Apocalypse de Jean, livre final de la Bible, ne pourrait recevoir une explication unique, à tout jamais figée.

Parlant de cet énigmatique et superbe ouvrage qu'est le Cantique des Cantiques, André Chouraqui, désireux de montrer l'infinie richesse du texte biblique, recourt à cette heureuse métaphore : « Sur un bon métal, chaque coup de marteau arrache des gerbes d'étincelles. Toutes proviennent de la même source, qui reste intacte, néanmoins. »[2].

Si la Bible vaut la peine d'être lue et relue, c'est que jamais on n'en a fini avec elle.

---

1. Ces quatre Pères ont vécu au IVᵉ siècle, l'âge d'or de l'activité patristique.
2. *Les Psaumes et le Cantique des Cantiques*, présentés par A. Chouraqui, P.U.F., 1971.

Géographie
et histoire bibliques   3

Il y a un véritable *miracle juif* : car enfin, ce fut sur un territoire exigu et ingrat, au long d'une histoire essentiellement faite d'oppressions, que ce peuple minuscule médita et élabora le « Livre » qui allait bouleverser une si grande part de l'humanité.

LA BIBLE ET SON « TERROIR »

La Palestine[1] est en effet bien exiguë : sa superficie égale celle de trois ou quatre départements français. On compte quelque 400 km du nord au sud et un peu plus de 100 km sur sa plus grande largeur. Il y a seulement 115 km de Nazareth à Jérusalem.

Le paysage manque d'unité : des plaines et des vallées verdoyantes sont entrecoupées de massifs montagneux semi-désertiques. Au centre, une altitude qui voisine ou dépasse les 1 000 mètres, tandis qu'à l'est, le Jourdain coule dans une dépression située au-dessous du niveau de la mer (lac de Tibériade : -212 m ; mer Morte : -392 m). Une telle disparité naturelle est propice aux dissensions politiques et aux particularismes régionaux.

Partout, le désert : à l'ouest, l'interminable désert d'Arabie ; celui de Syrie au nord ; celui du Néguev au sud. Sans tomber dans un déterminisme simplet, on peut estimer que, dans une contrée où déjà l'eau était un bien si précieux[2], cette proximité omniprésente du désert devait

---

1. Trois appellations ont successivement désigné le pays de la Bible : *Canaan*, le nom primitif ; la *terre d'Israël* ou simplement *Israël*, après l'installation des Israélites ; la *Palestine*, nom donné par les Romains à leur nouvelle province. Pour simplifier les choses, nous emploierons indifféremment les termes d'Israël et de Palestine.
2. Les cours d'eau y sont rares, capricieux (oueds) et pas toujours exploitables : l'eau du Jourdain, par exemple, est trop salée.

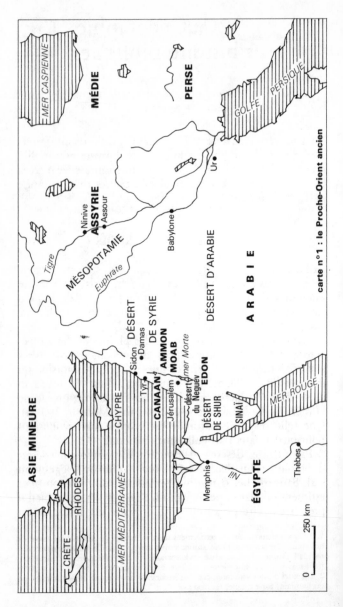

carte n°1 : le Proche-Orient ancien

26

être une menace obsédante pour l'agriculteur sédentarisé. Mais ce devait représenter aussi un vaste espace de liberté et d'évasion pour celui qui n'oubliait pas qu'il avait d'abord été un nomade. *La géographie réelle se double ainsi de toute une géographie imaginaire*[1].

La Palestine est enfin un couloir très convoité : cette bande de terre tout en longueur est le lieu de passage obligé entre l'Afrique et l'Asie, la riche Égypte et la fertile Mésopotamie. Les immensités désertiques de Syrie et d'Arabie interdisent en effet la communication directe entre les deux cornes du Croissant fertile (cf. la carte n° 1, p. 26). Situation lourde de conséquences pour ce petit pays : son histoire sera tributaire des puissants du jour qui voudront s'assurer le contrôle de ce couloir stratégique.

L'HISTOIRE MOUVEMENTÉE DU PEUPLE D'ISRAËL[2]

• *Le temps des patriarches : des débuts sans gloire (1800-1250 av. J.-C.)*

Au IIe millénaire avant notre ère, de multiples tribus nomades sillonnaient le Croissant fertile. L'une d'elles, celle des Hébreux, probablement originaire du sud de la Mésopotamie (région d'Ur), s'installe par vagues successives, entre 1800 et 1500, dans le pays de Canaan. Installation toute relative, car le terrain est depuis longtemps occupé par des populations solidement organisées, les Cananéens notamment. Aussi, le clan d'Abraham et de ses successeurs continue-t-il à mener une existence errante et précaire en marge des nombreux petits royaumes indigènes implantés dans les zones fertiles. Souvent même, la tribu

---

1. La Bible est un texte très enraciné dans son « terroir ». Les données de la géographie y sont omniprésentes : on y a chaud, on y sent le vent des sables, on y escalade des montagnes, on y sent le parfum des oasis... Mais - et c'est une des forces de l'œuvre -, toute sensation y est transfigurée par une signification symbolique et spirituelle. A ce sujet, voir, au chap. VII, les pages consacrées à l'« espace biblique » (p. 70).
2. A la suite de chaque développement, le signe ⟶ renvoie aux livres bibliques qui relatent les faits de la période concernée.

doit aller chercher ailleurs sa subsistance — dans l'opulente Égypte, par exemple. Au point qu'une majorité d'Hébreux y demeura pendant plus de deux siècles (1500-1250). Que s'est-il passé ? Les Égyptiens ont-ils réduit en esclavage ces « Bédouins » coupables d'incessantes razzias ? Les Hébreux ont-ils été contraints pour survivre de s'engager comme « travailleurs immigrés » au service du pharaon ? Mystère.

→ Genèse 12-50.

- *Le temps de Moïse : de l'exode à la sédentarisation (1250-1030 av. J.-C.)*

C'est vers 1250 avant notre ère que surgit la haute et énigmatique figure de Moïse : profitant de ce que les Égyptiens étaient occupés à célébrer la Fête du Printemps, il organise la fuite d'une bande hétéroclite d'opprimés. La patrouille chargée de les rattraper s'enlise dans les sables mouvants (= le passage de la mer Rouge). Lors d'une longue errance dans le désert (40 ans ?), selon un itinéraire qui demeure problématique[1], Moïse donne à cette troupe d'émigrants une conscience nationale en leur rappelant que Yahvé est leur seul Dieu et en les dotant d'un culte et d'une loi (le Décalogue).

Au début du XIIe siècle av. J.-C., les Hébreux pénètrent à nouveau en Palestine et s'installent... où il peuvent, car la côte méridionale est déjà occupée par les Philistins et les plaines par les Cananéens. Ils s'éparpillent ainsi en de multiples bourgades regroupées en douze clans territoriaux (= les Douze Tribus d'Israël[2]), dirigés par des chefs locaux : les Juges. Période assez obscure, qui s'étend sur 150 ans environ et pendant laquelle le peuple d'Israël emprunte beaucoup à la civilisation cananéenne.

→ Exode. Nombres. Deutéronome. Josué. Juges.

---

1. L'Exode, les Nombres et le Deutéronome se contredisent totalement sur le chemin suivi par Moïse. Trois itinéraires sont possibles : la voie du nord, le long de la côte ; un peu plus au sud, la piste qui joint Pi-Ramsès à Canaan, par le désert de Shur ; la route la plus longue, qui contourne tout le massif du Sinaï et suit les côtes de la mer Rouge (voir carte n° 1, p. 26). Sur cette question complexe, on lira le bel article d'Adrien Hillairet, « Les Routes de Moïse », *L'Histoire*, n°27, octobre 1980, Seuil.
2. On se souvient qu'*Israël* est l'autre nom de Jacob, un des patriarches, petit-fils d'Abraham selon la Bible.

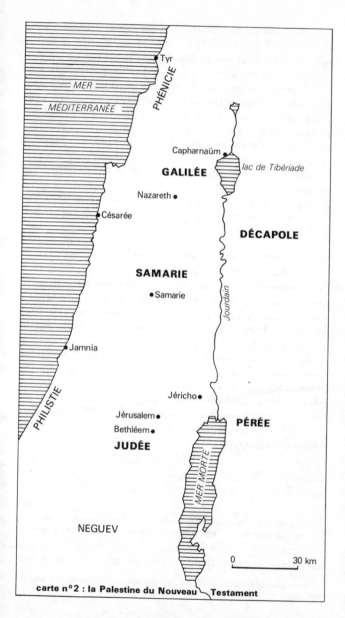

carte n°2 : la Palestine du Nouveau Testament

29

- *Le temps des fastes : l'union par la royauté*
  (1030-932 av. J.-C.)

Mais dans leur désunion, les tribus d'Israël ont de plus en plus de peine à résister aux assauts des Cananéens, des Philistins et des petits États voisins (Edom, Moab, Ammon). Sous l'impulsion d'un de leurs « Juges », Samuel, elles finissent par s'unir autour d'un monarque. Heureuse initiative : bénéficiant du déclin passager des « géants » du voisinage, l'Égypte et l'Assyrie, les rois Saül, puis surtout David et son fils Salomon, bâtissent un empire prospère. Dans la nouvelle capitale, Jérusalem, Salomon édifie un temple somptueux — *le Temple* —qui abrite l'arche d'alliance, coffret de cèdre contenant les Tables de la loi.

→ Samuel 1 et 2. 1 Rois 1-11. 1 Chroniques 10-29. 2 Chroniques 1-9.

- *Le temps des épreuves : du schisme à l'exil*
  (932-587 av. J.-C.)

Or, l'unité du royaume n'était qu'apparente : dans le nord, la rancœur était vive à l'égard du sud. Ces méridionaux minoritaires n'accaparaient-ils pas les postes clés ? Ne drainaient-ils pas vers Jérusalem les richesses de tout le pays ? A la mort de Salomon, en 932 av. J.-C., la crise éclate au grand jour : les dix tribus du nord se choisissent un roi et forment le *royaume d'Israël*, dont la capitale devient Samarie ; les deux tribus du sud, elles, restent fidèles à la dynastie de David et constituent le *royaume de Juda*[1], dont la capitale demeure Jérusalem.

Avec le schisme de 932, commence pour le peuple élu le temps des épreuves :

— *Le royaume du nord,* dont les monarques ne sont pas descendants légitimes de David, est en proie à une instabilité politique permanente : sur 19 rois, 8 mourront assassinés ! Cependant qu'à l'extérieur, le pays s'use dans d'incessants conflits : contre Damas notamment, mais parfois aussi contre le royaume frère de Juda. Or, c'est le moment où se réveille le redoutable empire assyrien (capitale Ninive). Très affaibli, Israël ne peut résister à son

1. Cette appellation vient du nom de la plus importante des tribus du sud, celle de Juda.

envahissant voisin : en 722 av. J.-C., Samarie est prise et, conformément aux usages du temps, les forces vives de sa population sont dispersées aux quatre coins de l'empire.

— Le destin du *royaume du sud* n'est guère plus enviable : face à l'Assyrie, Juda n'est qu'un insignifiant petit État qui n'a d'indépendant que le nom. Une exception pourtant : à la fin du VIIe siècle avant notre ère, l'empire assyrien s'écroule devant une coalition groupant les Babyloniens et les Mèdes (prise de Ninive en 612). Josias, qui règne à Jérusalem de 640 à 609, en profite pour restaurer l'indépendance de son pays et promouvoir une vaste réforme religieuse et sociale. Intermède sans lendemain, car le maître du jour est bientôt le terrible Nabuchodonosor (605-562), roi de Babylone. Malgré une farouche résistance qui se poursuit sur dix ans (597-587), Jérusalem succombe : la ville est brûlée, le Temple rasé, la population exilée en Babylonie.

➡ 1 Rois 12-22. 2 Rois. 2 Chroniques 10-36. Jérémie. Amos. Osée. Michée. Sophonie. Nahoum. Habaquq. Judith.

- *L'exil : cette catastrophe qui fut une chance (587-538 av. J.-C.)*

Le peuple élu a donc tout perdu. Et certains ne tarderont pas à perdre aussi la foi de leurs pères. Cependant, pour beaucoup, le désastre matériel fut une richesse spirituelle. Car « là-bas, au bord des fleuves de Babylone »[1], l'exilé prend conscience du sens profond de l'expérience douloureuse qu'il vit : il n'a plus de temple où prier ? Mais c'est dans son cœur que s'élève le plus beau des temples. Plus de roi ? Mais il n'en est qu'un : Dieu. Plus de terre ? Mais il n'y a qu'un royaume : le royaume céleste.

➡ Isaïe 40-55. Ézéchiel.

- *Le temps de la reconstruction : l'époque perse (538-333 av. J.-C.)*

La seconde moitié du VIe siècle voit un nouveau bouleversement de l'échiquier international : Cyrus le Grand (559-529) fonde le colossal empire perse. Or, ce monarque inau-

1. Psaume 137.

gure une politique de tolérance à l'égard des vaincus : par l'édit de 538, il autorise les exilés à regagner leur patrie. Ce dont profitent beaucoup de Juifs : quelque 50 000 d'entre eux retournent en Palestine. Quant aux autres, ils restent sur place et constitueront les communautés de ce qu'on appelle la *Diaspora*[1]. Les rapatriés, eux, se consacrent à une tâche difficile : la reconstruction matérielle et spirituelle de leur pays. Le Temple est relevé de ses ruines[2] ; les remparts de Jérusalem sont rebâtis.

➤ Isaïe 56-66. Esther. Esdras. Néhémie.

• *Le temps des séductions et des résistances :*
 l'époque grecque (333-63 av. J.-C.)

Après la domination perse, celle des Grecs : en dix ans, le jeune roi de Macédoine, Alexandre le Grand, se taille un immense empire qui s'étend de la Grèce au Pakistan actuel, et qui englobe donc la Palestine. A sa mort, en 323 av. J.-C., ses généraux se répartissent les États conquis en trois royaumes et fondent des dynasties qui reçoivent le nom du premier de leurs rois : les Antigonides en Grèce, les Lagides en Égypte et les Séleucides en Syrie. La Palestine échoit aux Lagides, souverains respectueux des particularismes locaux : aussi, pendant un siècle environ, les Juifs peuvent-ils vivre paisiblement et jouir d'une relative autonomie. Mais pareille tolérance ne va pas sans péril : l'hellénisme est d'une telle séduction que beaucoup d'intellectuels juifs — dont nombre de prêtres du Temple — estiment que la tradition de Moïse doit largement s'ouvrir à une culture aussi lumineuse. D'autres, en revanche, prônent un strict respect de la loi ancestrale. Dès cette période, de graves tensions internes agitent ainsi le peuple d'Israël.

Nouvel avatar au début du IIe siècle avant notre ère : en 198, le pays tombe sous la coupe des Séleucides d'Antioche. Et avec eux, commence pour les Juifs une ère de terribles répressions. En particulier, Antiochus IV Épiphane,

1. *Diaspora* : mot grec qui signifie « dispersion ». Il s'applique aux communautés juives installées hors de la Palestine. Les temps forts de la Diaspora sont : la chute de Samarie (722av.J.-C.), l'exil à Babylone(587 av J.C.), la prise de Jérusalem par Titus (70 ap. J.C.).
2. On l'appelle le « Second Temple ». Mais plus qu'un édifice matériel, cette formule désigne une époque, la grande époque du judaïsme, celle qui va du retour de l'Exil jusqu'à l'année 70 de notre ère.

roi de 175 à 164, veut imposer la culture grecque par la force : avec la complicité des prêtres hellénisants de Jérusalem, il interdit les pratiques juives, massacre les récalcitrants, pille le Temple et y installe même une statue de Zeus. Trois années durant, les Maccabées[1] dirigent la résistance : les Juifs recouvrent alors une certaine indépendance et peuvent à nouveau pratiquer leur religion.

Mais à Jérusalem, la situation ne tarde pas à se dégrader, car les divers partis politico-religieux se disputent âprement le pouvoir. La confusion est telle qu'en 63 av. J.-C., certains en appellent à l'arbitrage de Rome, la grande puissance du moment : Pompée, qui n'attendait que cette aubaine, accourt et s'empare de Jérusalem. La Palestine passe ainsi à un nouveau maître : Rome.

➡ Daniel. Maccabées 1 et 2.

• *Du judaïsme au christianisme : l'époque romaine (63 av. J.-C. à 100 env. ap. J.-C.)*

De 37 à 4 avant notre ère, Hérode le Grand dirige la Palestine. C'est, un *rex socius,* un *roi allié*. Comprenez : un vassal obéissant, à la solde de Rome. On situe la naissance de Jésus à la fin de son très long règne[2].

A la mort du vieux souverain, la situation tourne à l'imbroglio et il ne saurait être question d'en relater ici les ténébreuses péripéties. Pour comprendre le contexte historique qui fut celui des origines du christianisme, il suffit d'avoir en tête quelques idées simples : le pays était alors divisé en cinq circonscriptions territoriales — la Galilée, la Samarie et la Judée, à l'ouest du Jourdain ; la Décapole et la Pérée, à l'est[3]. Selon le bon vouloir de Rome, tel ou tel descendant d'Hérode régnait sur l'une ou l'autre de ces régions. Un cas particulier : la Judée, qui, très tôt, fut sous l'emprise *directe* d'un préfet romain. On connaît le plus célèbre : Ponce Pilate. Ce fut sous son administration, de 26 à 36, que Jésus prêcha, fut jugé et crucifié. Au milieu du siècle, le pays tout entier devint province romaine, sous la direction d'un procurateur résidant à Césarée.

1. Voir le chap. IV, p. 45.
2. Jésus est né quelques années avant le début de notre ère. C'est à la suite d'une erreur de calcul commise par le moine Denys le Petit (VIᵉ siècle) qu'on a fixé le début de l'ère chrétienne cinq ou six ans après la date réelle.
3. Cf. carte n° 2, p. 29.

La politique de l'occupant à l'égard des judéo-chrétiens fut complexe : l'attitude de Rome envers les religions des peuples soumis était généralement la tolérance. De fait, les Juifs bénéficiaient d'un statut particulier, qui les dispensait notamment du culte impérial. Et, comme aux yeux des Romains, le christianisme n'était jamais qu'une variante du judaïsme, les premières communautés chrétiennes purent essaimer sans peine à travers l'Empire. En réalité, les plus farouches adversaires de la jeune religion furent d'abord les élites juives traditionalistes : ces « adeptes de Jésus » en prenaient à leur aise avec la Loi mosaïque ! Et que dire de leur prosélytisme laxiste ? N'allaient-ils pas jusqu'à recevoir dans leurs rangs le premier païen venu ?

Mais le libéralisme romain à l'endroit des Juifs, et donc des chrétiens, avait ses limites : tant que ceux-ci acceptaient de collaborer avec Rome, tout allait bien. Or, beaucoup de Juifs refusaient toute espèce de compromis avec l'oppresseur et appelaient leurs frères à l'offensive armée. C'était en particulier le cas des *zélotes*, « zélés » serviteurs du Dieu d'Israël, qui lancèrent d'incessantes guérillas contre les Romains[1]. Dès lors, les chrétiens, qui voyaient volontiers dans le Christ le « roi des Juifs », devenaient suspects de « zélotisme ». Il est ainsi probable que Jésus ait été crucifié comme chef zélote[2].

Or, en 66, sous Néron, éclate une insurrection générale en Palestine. Vespasien et son fils Titus sont chargés d'y rétablir l'ordre : en 70, Jérusalem est investie, le Temple détruit, la population massacrée ou dispersée. Les Juifs survivants se regroupent à Jamnia (cf. carte n° 2, p. 29) et y établissent le nouveau centre intellectuel du judaïsme. C'est là que fut fixé le canon de la Bible hébraïque à la fin du Iᵉʳ siècle. C'est là aussi que fut officialisé le divorce entre le judaïsme et le christianisme : désormais, les deux religions allaient vivre chacune leur propre destin.

➤ Tous les livres du Nouveau Testament, sauf l'Apocalypse de Jean.

1. En moins d'un siècle, on compte plus de 25 soulèvements armés des Juifs contre les Romains.
2. C'est le motif de l'exécution, tel qu'il fut placardé sur la croix : « Iesus Nazarenus Rex Iudeorum », « Jésus de Nazareth roi des Juifs », en abrégé, « I.N.R.I. ».

Analyse de l'Ancien Testament $\boxed{4}$

Mode d'emploi

— Faire l'analyse d'une œuvre littéraire « classique » est relativement aisé : les éléments qui la constituent se suivent dans un ordre intangible. Mais pour l'Ancien Testament, l'entreprise est autrement ardue, car, selon les religions qui s'en réclament, les nombreux livres qui le composent ont reçu des classifications différentes. Puisqu'il faut bien pourtant opter pour un ordre, nous avons retenu celui de la *Traduction œcuménique de la Bible,* qui présente au moins le mérite d'être un compromis entre le classement propre à la Bible hébraïque et protestante, et celui qu'ont choisi les catholiques et les orthodoxes. Le lecteur qui pratique une autre édition n'aura aucune peine à opérer les transpositions nécessaires.

— Chaque titre est suivi de son abréviation conventionnelle : on se familiarisera ainsi avec des sigles parfois déroutants.

— L'histoire, on le sait, occupe une place considérable dans l'Ancien Testament. Mais il s'agit souvent d'une « histoire écoutée aux portes de la légende »[1]. On tirera le plus grand profit à comparer les faits historiques avec la narration qu'en fait la Bible. Après chaque résumé, la lettre $\boxed{H}$→ renvoie aux pages de ce guide où sont évoqués les événements historiques correspondants.

— Il est dans la Bible des épisodes privilégiés, qui, plus que d'autres, ont chanté dans la mémoire des hommes, inspiré écrivains et artistes, formé les pièces maîtresses de notre patrimoine imaginaire. Sous la rubrique **Pour mémoire,** on trouvera le rappel de ces catalyseurs de la rêverie collective.

1. La formule est de Victor Hugo.

LES GRANDES DIVISIONS
DE L'ANCIEN TESTAMENT

On peut y distinguer quatre ensembles :

— Le Pentateuque

Ce mot d'origine grecque, signifie « les cinq Volumes »[1]. De fait, il s'agit d'un ensemble homogène divisé après coup en cinq tomes pour des raisons de commodité matérielle. Il relate les événements qui ont eu lieu depuis la création du monde jusqu'à la mort de Moïse. Chez les israélites, on s'en souvient, le Pentateuque est appelé la *Torah*, la Loi, parce qu'il contient la loi par excellence, celle de Moïse.

— Les Livres prophétiques

Ils sont au nombre de 21, et de dimensions fort inégales. On les nomme ainsi non point parce qu'on y trouve des prédictions sur les mystères de l'avenir, mais parce que la tradition les attribuait aux *Prophètes*, hommes de sagesse et de foi qui interprétaient les faits historiques à la lumière du grand dessein de Dieu.

Ces livres rapportent l'histoire du peuple d'Israël depuis la mort de Moïse et l'entrée dans la « Terre promise » jusqu'au retour à Jérusalem après l'Exil.

— Les « Autres Écrits »

Cette appellation vague s'explique par la variété des genres littéraires auxquels appartient cette dizaine de livres : chants, poèmes, maximes, récits, contes, nouvelles...

— Les Livres deutérocanoniques

Nous avons déjà eu l'occasion d'évoquer ces dix livres au chapitre II, p.17. Ils relèvent, eux aussi, de genres littéraires divers.

---

1. Un « livre » se présente alors sous la forme d'une longue bande de parchemin fixée entre deux montants de bois que le lecteur tenait, un dans chaque main. Le texte y était transcrit en colonnes. Au fur et à mesure de la lecture, on enroulait la partie lue et on déroulait ce qui suivait.

I. Le Pentateuque

• *La Genèse (Gn)*

Comme l'indique son titre, ce livre de cinquante chapitres est le *livre des origines* :

- *L'origine du monde* est retracée en deux récits différents.

- *L'origine de l'homme* : « Dieu créa l'homme à son image, à l'image de Dieu il le créa ; mâle et femelle il les créa » (Gn 1,27). » Au sein du jardin d'Éden, l'homme vit alors en parfaite harmonie avec le Créateur.

- *L'origine du mal* : en mangeant du fruit défendu, l'homme a choisi la voie du péché. Le couple originel est donc chassé du paradis terrestre. Désormais, l'espèce humaine s'adonne au mal : Caïn, le fils d'Adam et Ève, commet ainsi ce crime des crimes qu'est le fratricide.

- *L'origine du peuple d'Israël* : devant pareille perversion, le Créateur décide d'effacer la vie de la surface de la terre. Pourtant, il donne une nouvelle chance à l'humanité ingrate en sauvant du déluge Noé et sa famille. Destructeur, le Déluge est donc aussi régénérateur : à l'issue de cette calamité purificatrice, un arc-en-ciel concrétise l'accord ininterrompu entre Dieu et sa créature.

L'homme se multiplie et se répand sur la terre en une mosaïque de peuples qui oublient vite leur Créateur. Mais une fois encore, Dieu ne veut pas abandonner les hommes. Il choisit parmi eux une tribu de nomades, les Hébreux, commandée par Abraham, et fait alliance avec son chef : il garantit à celui-ci une descendance prospère et la possession du riche « pays de Canaan », « pays de miel et de lait », qui désormais devient la « Terre promise ».

Le *cycle des patriarches* se poursuit avec Isaac, fils d'Abraham, et Jacob, fils d'Isaac, qui reçoit de Dieu le nom d'Israël. Jacob a douze fils, ancêtres des Douze tribus d'Israël.

La Genèse s'achève par l'histoire romanesque de Joseph, le fils chéri du vieux Jacob : jaloux, ses frères le vendent à des caravaniers en partance pour l'Égypte. Mais là, l'infortuné connaît une fulgurante ascension : Pharaon le choisit comme ministre. Magnanime, le brave Joseph pardonne à

ses vilains frères et toute la famille vient s'installer auprès
de lui.

H → p. 27.

Pour mémoire : la Création en sept jours. Le jardin d'Éden.
Ève créée à partir d'une côte d'Adam. Ève écoute le Ser-
pent. Ève croque le fruit défendu. Adam et Ève chassés du
Paradis. Caïn tue son frère Abel. Le Déluge et l'arche de
Noé. L'ivresse de Noé. La tour de Babel. L'Alliance entre
Dieu et Abraham. La destruction de Sodome. Les filles de
Loth. Le sacrifice d'Abraham. Le plat de lentilles d'Esaü. Le
songe de Jacob (l'échelle). La lutte de Jacob avec l'Ange.
Joseph vendu par ses frères.

• *L'Exode (Ex)*

C'est le livre de l'Évasion[1], au double sens du mot, concret
et spirituel : sous la conduite de Moïse, les Hébreux
s'enfuient d'Égypte, et ce faisant, ils *se libèrent* et *trouvent
leur identité* de peuple de Dieu. En quarante chapitres,
sont modulés les deux thèmes indissociables de la *libéra-
tion* et de l'*alliance*.

Installés en Égypte, les fils de Jacob-Israël ont prospéré.
Tant et si bien qu'au XIIIe siècle, un nouveau pharaon
(Ramsès II ?) veut mettre un frein à leur puissance : il les
persécute de mille façons. C'est alors que Dieu se manifeste à Moïse sous la forme d'un buisson ardent : Dieu l'a
choisi, lui, Moïse, pour faire sortir son peuple d'Égypte. La
marche vers la « Terre promise », à travers l'immensité du
désert, est longue et périlleuse. Mais, sans cesse, Dieu
secourt son peuple (le passage de la mer Rouge ; la manne
céleste). Au Sinaï, Moïse reçoit les Dix Commandements,
véritable pacte entre Dieu et le « Peuple élu ». Puis il fixe
les grandes lignes du culte et élabore une législation directement inspirée du Décalogue.

H → p. 28.

Pour mémoire : Moïse sauvé des eaux. Le Buisson ardent.
Les Dix Plaies d'Égypte. Le passage de la mer Rouge. La
manne céleste. Moïse reçoit les Tables de la Loi. La Loi du
Talion. L'arche de l'Alliance. Le Veau d'or.

1. *Exodos*, en grec, signifie la « sortie ».

• *Le Lévitique (Lv)*

Ce livre de vingt-sept chapitres est le livre des *lévites,* c'est-à-dire des prêtres. En effet, ceux-ci se recrutaient dans l'une des douze tribus, celle de Lévi. *Lévite* était ainsi devenu synonyme de *prêtre.* Avec ce livre, la narration est interrompue : on y trouve l'énoncé scrupuleux des règles qui doivent présider à l'exercice du culte.

• *Les Nombres (Nb)*

Ce livre est ainsi intitulé parce qu'y figurent deux recensements des tribus d'Israël.

Le récit reprend : le peuple de Dieu quitte le Sinaï pour gagner les frontières de Canaan. Mais la conquête sera plus difficile qu'on ne le croyait. D'où le doute et le découragement.

$\boxed{\text{H}}$→ p. 28.

Pour mémoire : le bâton d'Aaron. L'ânesse de Balaam.

• *Le Deutéronome (Dt)*

En grec, *deuteros nomos* signifie la *seconde loi.* Mais attention à l'ambiguïté de cette traduction : le dernier volume du Pentateuque n'énonce nullement une « nouvelle » loi. Il est un *rappel de la Loi* reçue dans le désert.

L'heure des bilans est en effet arrivée : après quarante années de vie errante, les Hébreux vont bientôt se fixer en Palestine. La tâche de Moïse touche à sa fin : avant de mourir, le vieux guide — il a 120 ans ! — adresse trois discours successifs à ses frères : il dégage le sens des épreuves qu'ils ont vécues ensemble ; il les met en garde contre les tentations de la facilité ; il les exhorte à observer les préceptes divins. Moïse choisit comme successeur le vaillant Josué, puis meurt saintement.

$\boxed{\text{H}}$→ p. 28.

II. Les Livres prophétiques

• *Le Livre de Josué (Jos)*

C'est le livre de la conquête du pays de Canaan : au lendemain de la mort de Moïse, Josué et ses troupes franchissent le Jourdain, et s'emparent de Jéricho. S'ensuit une guerre éclair dans laquelle les populations locales sont écrasées les unes après les autres. Avant de mourir, Josué partage les territoires conquis entre les différentes tribus d'Israël.
[H]▶ p. 28.

Pour mémoire : les trompettes de Jéricho.

• *Le Livre des Juges (Jg)*

150 ans d'histoire sont ici relatés, de l'installation en Canaan jusqu'à la royauté (1200 à 1050 av. J.-C.). Autant la conquête a été aisée, autant la période qui suit est difficile. Israël doit en effet affronter trois types de périls : il lui faut d'abord mener une multitude de guerres défensives contre les populations indigènes et contre les peuples voisins. Ensuite, des rivalités fratricides dressent les tribus les unes contre les autres. Enfin, le peuple d'Israël ne résiste pas à la tentation de l'idolâtrie et du polythéisme. Il oublie son Dieu et adore le Baal[1] des religions locales.

Le terme de « juge » ne doit pas prêter à confusion : selon son sens fondamental en hébreu, il désigne non pas le magistrat, mais le chef inspiré qui sauve son peuple d'une situation critique. La tradition a retenu douze de ces Juges (Gédéon, Jephté, Samson, Samuel...).
[H]▶ p. 28.

Pour mémoire : Samson et Dalila.

• *Les deux livres de Samuel (1S et 2S)*

Ces deux livres couvrent 80 ans de l'histoire d'Israël (1050-970 av. J.-C.). Samuel est un Juge. C'est lui qui, sur les

---

1. Le *Baal* : cette divinité était adorée dans tout le Proche-Orient ancien. Le Baal était le dieu universel de la fécondité. Mais le mot avait fini par désigner toute espèce de divinité. D'où son emploi au pluriel : les Baals.

conseils de Dieu, instaure la monarchie en Palestine : il choisit comme roi Saül, puis David.

H⟶ p. 30.

Pour mémoire : David charme Saül du son de sa cithare. David contre Goliath. David pleure sur la mort de son ami Jonathan. Le bain de Bethsabée.

• *Les deux livres des Rois (1R et 2R)*

Les onze premiers chapitres racontent l'histoire du prestigieux règne du fils de David, Salomon. Réputé pour sa sagesse et ses fastes, ce roi fait édifier le Temple de Jérusalem. Mais grisé par le pouvoir et les richesses, il tourne au despote oriental et suscite la colère de Dieu. Le Schisme, la chute de Samarie et de Jérusalem, l'Exil : voilà les manifestations du courroux divin.

H⟶ p. 30.

Pour mémoire : la construction du Temple. La reine de Saba visite le roi Salomon. Jéhu et la reine Jézabel. Athalie, reine de Jérusalem.

• *Le livre d'Isaïe[1] (Is)*

Ce livre n'est pas, comme les précédents, un récit historique. Sous une forme poétique et imagée, il rapporte les prédications inspirées par une époque douloureuse.

- *Chap. 1-39* : ils sont sans doute l'œuvre d'Isaïe, le plus grand des prophètes de l'Ancien Testament, qui vécut à Jérusalem dans la deuxième moitié du VIIIe siècle av. J.-C. Ce familier de la cour royale est le témoin indigné d'un délabrement universel : on adore les idoles ; on se vautre dans les plaisirs ; on se compromet avec les puissants du voisinage, les Égyptiens et les Assyriens. Isaïe, par ses écrits, veut réveiller ses frères : Israël court au désastre ; il faut revenir à Dieu, le seul maître de l'Histoire .

- *Chap. 40-55* (le « deuxième Isaïe ») : les prédictions d'Isaïe se sont réalisées. Quelque deux siècles plus tard, voici que les Israélites sont captifs à Babylone. Celui qu'on appelle le « deuxième Isaïe » adresse à ses compagnons de

---

1. Ou *Ésaïe*, graphie que retiennent volontiers les protestants.

misère des poèmes d'espérance : Dieu veille sur les siens et Jérusalem bientôt sera rebâtie et repeuplée.

- *Chap. 56-66* (le « troisième Isaïe ») : les exilés ont regagné leur patrie. Cette série de poèmes est un hymne de gloire à la Jérusalem universelle : Dieu sauvera l'humanité tout entière.

H→ p. 30.

• *Le livre de Jérémie (Jr)*

Jérémie vécut la période tragique qui s'acheva par la ruine de Jérusalem. Son livre est un cri : le cri d'un être qui se sentit *personnellement responsable* de l'échec collectif. Car celui qui consacra son talent et ses forces à avertir ses contemporains ne fut jamais écouté et ne put rien changer au cours de l'Histoire.

Pour mémoire : les larmes de Jérémie (les « jérémiades »).

• *Le livre d'Ézéchiel (Ez)*

Ce prêtre du Temple de Jérusalem fut déporté à Babylone. Là, beaucoup d'Israélites ont adopté les croyances locales. Ézéchiel regroupe autour de lui ceux qui sont restés fidèles au Dieu des ancêtres. C'est aux uns et aux autres que s'adresse son message : il fustige les renégats et leur promet de terribles châtiments ; il conforte les persévérants en leur annonçant un proche retour à Jérusalem.

Pour mémoire : la vision des ossements desséchés.

• *Les livres des douze « petits » prophètes*

Nour regroupons ici les douze « petits » prophètes, ainsi appelés parce que leurs écrits sont très brefs. Ce sont respectivement : Osée (Os), Joël (Jl), Amos (Am), Abdias (Ab), Jonas (Jn), Michée (Mi), Nahoum (Na), Habaquq (Ha), Sophonie (So), Aggée (Ag), Zacharie (Za) et Malachie (Ml). On retrouve chez eux les deux thèmes modulés par les « grands » prophètes : les malheurs subis par Israël sont la punition de ses fautes ; Dieu, pourtant, n'oublie pas les Justes et assurera leur victoire finale.

Pour mémoire : Jonas et la « baleine ».

III. Les « Autres Écrits »

• *Les psaumes (Ps)*

C'est un recueil de 150 chants liturgiques. La tradition les attribuait à David, le roi musicien, mais ils sont l'œuvre d'auteurs nombreux et anomymes. D'une exceptionnelle densité poétique, ces textes sont les cris de joie, d'espérance et de douleur d'un peuple qui connut une histoire mouvementée.

• *Le livre de Job (Jb)*

Job le Juste est frappé de tous les maux imaginables. Couché sur son fumier, il interroge ses amis, il questionne le ciel : pourquoi la souffrance de l'innocent ? Pourquoi la réussite du scélérat ? Ce conte philosophique est une des plus fortes méditations humaines sur le problème du mal.

• *Le livre des Proverbes (Pr)*

Placé sous le patronage de Salomon, ce livre collecte dictons et maximes élaborés par des siècles de sagesse populaire.

• *Le livre de Ruth (Rt)*

Un petit roman de charme : comment Ruth, l'étrangère et la païenne, épousa le riche israélite Booz et devint ainsi l'arrière-grand-mère du roi David[1].

• *Le Cantique des Cantiques (Ct)*

Le titre est la façon hébraïque d'exprimer le superlatif absolu : le Cantique des Cantiques est donc le plus beau des chants, le poème des poèmes. Il se présente sous la forme d'un dialogue entre *Elle* et *Lui*. On a rarement proclamé la passion en images plus fastueuses. Ce chant de noces, de coloration très orientale, a sans doute un sens allégorique : il célèbre l'amour de Dieu et de son « épouse » Israël.

---

1. On relira le beau poème de Victor Hugo,« Booz endormi », dans *La légende des siècles*.

• Qoheleth ou l'Ecclésiaste (Qo)

La vie est absurde, répète l'auteur énigmatique de ce livre : « Tout est vanité » ; « Rien de nouveau sous le soleil ». Ce livre désabusé est à rapprocher de l'interrogation de Job : le dessein divin offre aussi ses douloureuses énigmes.

• Le livre des Lamentations (Lm)

« Comme une veuve abandonnée », Jérusalem pleure sur sa ruine en cinq poèmes d'un beau lyrisme plaintif. Œuvre subtile : chacune des strophes commence par l'une des vingt-deux lettres de l'alphabet hébraïque.

• Le livre d'Esther (Est)

Encore un passionnant roman : le roi perse Assuérus (= Xerxès Ier) est un monarque jouisseur. Une belle Juive exilée, Esther, entre dans son harem et finira par devenir reine. Grâce à ses charmes et à son habileté, elle parviendra à déjouer un complot qui visait à exterminer les Juifs[1].
Pour mémoire : Esther devant Assuérus.

• Le livre de Daniel (Dn)

Daniel est un prophète qui vit dans la première moitié du IIe siècle, sous la domination syrienne. Avec le tyran du jour, Antiochus IV, c'est « l'abomination de la désolation ». Daniel fortifie dans leur foi ses frères persécutés.
H ➞ p. 32.

• Les livres d'Esdras (Esd) et de Néhémie (Ne)

Ces deux livres forment un tout. Esdras et Néhémie exhortent leurs compatriotes à la reconstruction matérielle et spirituelle d'Israël après le retour des Juifs déportés.
H ➞ p. 32.

• Les deux livres des Chroniques (1Ch et 2 Ch)

Le « Chroniste » écrit vers 300 avant notre ère. Son œuvre est une ambitieuse synthèse historique : il réécrit l'histoire d'Israël depuis Adam jusqu'à l'Exil. Mais le Chroniste

---

1. Racine s'est directement inspiré de ce livre pour sa tragédie.

n'est pas historien : son projet est d'abord didactique. Il veut montrer que la volonté divine est le moteur de l'Histoire. Ce faisant, il stimule ses contemporains, en réinscrivant un présent de souffrance dans une perspective où tout prend sens.

H→ p. 32

IV. Les Livres deutérocanoniques

• *Esther grec (Est grec)*

Originellement composé en hébreu, ce roman a été par la suite réécrit en grec. On y a alors ajouté quelques fragments inédits, dont la fonction était de souligner que Dieu était le véritable héros de cette édifiante histoire[1].

• *Le livre de Judith (Jdt)*

Ce savoureux récit célèbre l'exploit d'une héroïne nationale : Judith[2], une veuve de charme, sauve son honneur et celui de son peuple en décapitant le soudard Holopherne, général du terrible Nabuchodonosor.
Pour mémoire : la toilette de Judith. Judith tenant la tête coupée d'Holopherne.

• *Le livre de Tobit[3] (Tb)*

Le récit est vif et se lit comme un roman. Mais, hélas ! les dimensions de ce guide ne nous permettent pas de le rapporter. Alors, on le lira et relira...
Pour mémoire : Tobie et son chien conduits par Raphaël.

• *Les deux livres des Maccabées (1 M et 2 M)*

Nous sommes en 167 av. J.-C. : maître de la Palestine, Antiochus IV persécute les Juifs. Certains se résignent. D'autres collaborent avec l'occupant. D'autres enfin,

---

1. Ainsi, la célèbre prière d'Esther, insérée dans le chapitre 4, et dont se souviendra Racine : avant d'aller trouver son royal et terrible époux pour lui demander de sauver les Juifs, Esther supplie Dieu de la seconder dans son entreprise.
2. Le nom *Judith* signifie la « Juive ».
3. *Tobit* : on veillera à ne pas confondre *Tobit*, le père, et *Tobie*, le fils. C'est fautivement que certaines éditions de la Bible intitulent ce livre : *Tobie*.

comme Judas Maccabée[1] et ses frères, organisent la résistance armée. Voilà ce que racontent ces ouvrages, qui ne constituent pas une suite, mais qui relatent un même fait historique sous deux formes différentes.

[H]➞ p. 32.

• Le livre de la Sagesse (Sg)

C'est le livre le plus récent de l'Ancien Testament : il a été écrit entre 50 et 30 av. J.-C. par un Juif d'Alexandrie. L'œuvre appartient au genre *didactique* : l'auteur anonyme tente une synthèse hardie entre sa culture grecque et sa foi.

• Le livre du Siracide (Si)

Le titre de ce livre vient du nom de l'auteur, Jésus Ben Sira[2]. Cet ouvrage est encore appelé *L'Ecclésiastique* parce que l'Église primitive l'utilisait comme manuel pédagogique pour préparer les postulants au baptême. Comme les Proverbes, l'Ecclésiaste ou la Sagesse, il s'agit d'une compilation assez répétitive de préceptes moraux sur les sujets les plus variés.

• Le livre de Baruch (Ba)

Baruch était le secrétaire de Jérémie. En fait, il ne sert ici que de prête-nom, car ce livre disparate est composé de trois fragments d'époques et d'auteurs différents et mal connus.

• La lettre de Jérémie (Lt-Jr)

Là encore, ce texte aux origines incertaines est fictivement attribué à l'illustre Jérémie.

• Suppléments grecs au livre de Daniel (Dn grec)

Dans la version grecque de la Bible, cinq suppléments ont été ajoutés au Livre de Daniel. On en retiendra surtout le *chant des trois jeunes gens dans la fournaise,* l'aventure de *Suzanne et des deux vieillards,* l'épisode de *Daniel et du dragon.*

---

1. *Maccabée* est un surnom dont le sens est probablement le « marteau ». Cf. l'appellation de notre héros national : Charles *Martel.*
2. Transposé en grec, *Siracide* signifie *fils de Sira.*

Analyse du Nouveau Testament | 5 |

LES GRANDES DIVISIONS DU NOUVEAU TESTAMENT

L'analyse du Nouveau Testament pose moins de problèmes que celle de l'Ancien, car catholiques, orthodoxes et protestants s'entendent sur le contenu et l'ordre des différents livres qui le constituent[1].

Ces livres, on s'en souvient, sont au nombre de vingt-sept. Comme dans l'Ancien Testament, ils ne sont pas classés selon leur date de composition : ainsi, les Épîtres de Paul, bien que situées après les Évangiles, leur sont antérieures. Une tradition qui remonte aux premiers temps du christianisme les a regroupés selon des critères fort variés : le genre littéraire dont ils relèvent ; leur thème ; leur auteur présumé ; leur destinataire ; ou simplement... leur longueur.

Critères disparates, on le voit. Toujours est-il que l'usage s'est vite imposé de distinguer *cinq grandes sections* dans le Nouveau Testament :

— **Les quatre Évangiles** (Matthieu, Marc, Luc, Jean) : ce sont des textes narratifs centrés autour de la mission terrestre de Jésus.

— **Les Actes des Apôtres** : encore un récit, mais cette fois, consacré à l'histoire de la diffusion de la *Bonne Nouvelle*, l'Évangile.

— **Les lettres de Paul** : ces quatorze épîtres apportent des éclaircissements sur les questions particulières que se posaient les premières communautés chrétiennes.

— **Les sept épîtres dites « catholiques »** : étymologiquement, « catholique » signifie « universel ». De fait, sauf

1. Il y a néanmoins quelques divergences, mais quantitativement et qualitativement négligeables.

deux d'entre elles, ces lettres sont destinées à la *totalité* des chrétiens, et non à des groupes ou à des individus bien définis, comme le sont les épîtres de Paul.

— **L'Apocalypse de Jean** : l'apocalypse était un genre littéraire très à l'honneur dans les milieux judéo-chrétiens de l'époque. Par une suite de visions au symbolisme fascinant, Jean « dévoile[1] » à ses lecteurs le sens caché de l'histoire du monde.

I. Les quatre Évangiles

• *Le projet des évangélistes*

On lit dans l'Évangile selon Jean : « Jésus a opéré sous les yeux de ses disciples bien d'autres *signes* qui ne sont pas consignés dans ce livre. Ceux-ci l'ont été pour que vous croyiez que Jésus est le Christ, le Fils de Dieu, et *pour que*, en croyant, vous ayez la vie en son nom. »[2] Cette déclaration rend parfaitement compte du projet des évangélistes : non point écrire une biographie objective de Jésus, mais *démontrer*, à l'aide de faits *dûment choisis* et *ordonnancés*, que l'homme de Nazareth était bien le Messie annoncé par les prophètes d'Israël. Les Évangiles sont ainsi des *témoignages passionnés à intention didactique*, de *ferventes invitations à la foi*.

On ne s'étonnera donc pas d'y trouver des similitudes, voire des répétitions : ils traitent tous d'une même matière. Mais on ne s'étonnera pas non plus des divergences qu'ils présentent[3]. Car, selon sa sensibilité, son milieu culturel, le public qu'il visait, chacun des quatre évangélistes a été amené à opérer des choix : de la vie terrestre de Jésus, il n'a retenu que les épisodes qui lui paraissaient les plus chargés de puissance persuasive.

• *Les trois premiers Évangiles (Mt, Lc, Mc)*

Il convient de les analyser ensemble, car ils ont entre eux une telle parenté qu'on peut les disposer sur trois colonnes

---

1. Le mot grec *apocalupsis* signifie : « dévoilement », « révélation ».
2. Jn 20, 30-31. C'est nous qui soulignons.
3. Par exemple, Matthieu et Luc racontent différemment l'enfance de Jésus, cependant que Marc et Jean sont muets à cet égard.

48

parallèles et les lire simultanément. Voilà pourquoi on les appelle aussi les *Évangiles synoptiques*. Cette concordance a permis d'avancer l'hypothèse d'un premier texte canevas — écrit en araméen par l'apôtre Matthieu ? — qui aurait servi de modèle aux trois Évangiles actuels.

Les faits rapportés sont *grosso modo* les mêmes, et leur narration suit un cours globalement identique :

- *Naissance et enfance de Jésus*

Comme nous l'avons déjà signalé, seuls Matthieu et Luc racontent la naissance de l'enfant Jésus, et encore le font-ils de manière partielle et contradictoire. Rappelons-en les principaux épisodes : pour Matthieu, Jésus naît à Bethléem, dans la province de Judée, à la fin du règne d'Hérode le Grand, quelques années avant le début de notre ère[1]. Naissance troublante : Marie « se trouva enceinte par le fait de l'Esprit Saint » (1,18). Son fiancé Joseph décide alors de la répudier, mais un ange vient lui annoncer que Marie donnera naissance au Sauveur. Pendant ce temps, Hérode est averti par des astrologues babyloniens (les mages) que « le roi des Juifs vient de naître » (2,6). Fureur apeurée du despote qui fait tuer tous les nouveau-nés (= *le massacre des Innocents*). Or, sur les conseils d'un ange, Joseph a fui en Égypte avec Marie et l'enfant. Mort d'Hérode. Retour de la Sainte Famille qui s'installe à Nazareth, en Galilée.

Pour Luc, c'est à Nazareth que tout commence. L'ange Gabriel annonce à Marie que Dieu l'a choisie pour être la mère du Messie (= *l'Annonciation*). Paraît alors un décret impérial — le pays est sous domination romaine — qui prescrit de se faire recenser dans sa ville natale. Joseph, qui est originaire de Bethléem, part pour cette cité, avec son épouse enceinte. C'est là que Marie accouche, et, comme il n'y a plus de place dans les auberges, on dépose l'enfant dans une mangeoire (= *la Nativité*).

Pour la suite, nos deux évangélistes sont d'une étonnante discrétion. Voici tout ce que nous apprend Luc : « Quant à l'enfant, il grandissait et se fortifiait, tout rempli de sagesse, et la faveur de Dieu était sur lui » (2,40). Un

1. Cf. notre chap. III, p. 33, note 2.

seul fait précis : à douze ans, Jésus émerveille les autorités religieuses du Temple par la sagacité de sa conversation (= *Jésus au milieu des Docteurs*).

- Le ministère de Jésus en Galilée

Ce n'est qu'à trente ans que Jésus inaugure sa vie publique. Il parcourt la Galilée, où il va proclamant, comme déjà, selon Matthieu, le faisait le Baptiste[1] : « Convertissez-vous : le règne des cieux s'est approché » (Mt 3,2 et 4,17). Il expose son programme, que Matthieu a condensé en un unique discours, le célèbre *Sermon sur la Montagne*[2]. Sa prédication, de type populaire, enthousiasme vite des auditoires que fatiguaient les arguties filandreuses des rabbins. S'adressant à tous, en particulier aux humbles et aux exclus, il use d'un langage clair, imagé, au symbolisme efficace parce que simple : il suffit de songer aux *paraboles*. A cela s'ajoutent les nombreux miracles qu'il accomplit. Sa renommée s'étend et les foules se pressent autour de lui. Il choisit douze compagnons qu'il envoie prêcher à travers le pays : ce sont les *Apôtres*[3], ou *Disciples*, ou encore, les *Douze*.

- Le ministère de Jésus à Jérusalem : quelques mois plus tard, Jésus se rend à Jérusalem pour y fêter la Pâque[4]. Il y fait une entrée triomphale : le peuple l'acclame et recouvre sa route d'un tapis de vêtements et de branchages[5]. Arrivé au Temple, Jésus s'indigne d'y trouver des marchands qui ont installé là leur négoce : sans ménagement, il chasse ceux qui ont transformé la « maison de prière » en une « caverne de bandits » (Mt 21,13). Les prêtres du lieu à leur tour de s'irriter : de quel droit ce Jésus s'occupe-t-il d'affaires qui les regardent, eux, les officiels ?

De fait, la popularité du Nazaréen alarmait de plus en plus les autorités de toute espèce : pour l'occupant

1. Jean-Baptiste *baptisa* Jésus dans les eaux du Jourdain.
2. Ce discours aurait été prononcé sur une des hauteurs qui dominent le lac de Tibériade, près de Capharnaüm (cf. carte n° 2, p. 29). D'où son nom.
3. *Apôtre* signifie en effet « envoyé », « missionnaire ». Les *Douze* sont : Pierre (de son vrai nom Simon)) ; Jacques et Jean, les fils de Zébédée ; André ; Philippe ; Barthélémy ; Matthieu ; Thomas ; Jacques ; Simon ; Jude ; et Judas.
4. La Pâque est l'une des grandes fêtes juives. Elle commémore l'Exode, c'est-à-dire la Sortie d'Égypte. La coutume était alors de venir la célébrer à Jérusalem.
5. Cet épisode est fêté par les chrétiens le jour des Rameaux.

romain, celui que d'aucuns appelaient déjà le « roi des Juifs » pouvait être un dangereux ferment de sursaut national. Les autorités religieuses juives, qui dominaient le Grand Conseil, le Sanhédrin, ne pouvaient tolérer ce « pouvoir parallèle ». Quant au parti religieux des Pharisiens, très attaché à la pratique tatillonne de la Loi, il était heurté par des prises de position souvent peu conformistes. Pour la plupart, Jésus était devenu l'homme à abattre.

Après un dernier repas pris avec les Disciples (= *la Cène*), il est arrêté. Ses compagnons l'abandonnent (*trahison de Judas ; reniement de Pierre*). A l'issue de deux procès bâclés, l'un devant le Sanhédrin, l'autre devant le préfet romain Pilate, il est condamné à être crucifié (= *la Passion*). Trois jours après son supplice, il ressuscite, se manifeste à plusieurs reprises et demande aux Apôtres d'aller partout prêcher l'Évangile.

• *L'Évangile selon Jean (Jn)*

Par rapport aux Évangiles synoptiques, le quatrième présente une profonde originalité : il met l'accent sur le ministère de Jésus à Jérusalem auquel il confère une plus longue durée (de deux à trois ans). Ensuite, il ne retient qu'un nombre limité de faits significatifs. En revanche, il relate des miracles inédits (les noces de Cana ; la résurrection de Lazare). Enfin, et surtout, il propose une interprétation plus symbolique de la vie terrestre de Jésus.

Bien que l'identité du quatrième évangéliste reste encore énigmatique, on est du moins assuré qu'il est le plus tardif[1] : quelque soixante ans après la Crucifixion, il est ainsi mieux à même de comprendre et de faire comprendre le sens profond des paroles et des actions de Jésus. Son passage ici-bas est l'illustration du grand combat universel dans lequel s'affrontent les puissances de la Lumière et celles des Ténèbres, la Vie et la Mort, l'Esprit et la Matière. Jésus, dès lors, est plus que le Sauveur : il est le Verbe incarné, la manifestation concrète de la Parole et de la Volonté divines[2].

1. La datation des quatre Évangiles continue de poser bien des problèmes. Voici les hypothèses les plus généralement admises : Marc, vers 65 ; Matthieu et Luc, vers 80 ; Jean, vers 90.
2. Pour une définition plus développée de la notion de *Verbe*, on se reportera au chapitre VI, « Le Dieu de la Bible », p. 61.

II. Les Actes des Apôtres (Ac)

Titre quelque peu mystérieux que l'on pourrait « traduire » ainsi : l'œuvre des missionnaires du Christ.

Après la mort et la résurrection de Jésus, restait à accomplir une lourde tâche : la diffusion universelle de la Bonne Parole. Tel est l'objet de ce livre de vingt-huit chapitres, dont l'auteur présumé serait Luc, et qui doit se lire comme la suite chronologique et logique des événements rapportés dans les Évangiles.

L'ouvrage est tout entier agencé pour mettre l'accent sur la rapide expansion de la jeune religion. Dans une première partie, sont racontés les débuts de la communauté chrétienne à Jérusalem. Débuts éclatants : « Des multitudes de plus en plus nombreuses » (5,14) se convertissent. Mais débuts sanglants aussi : par deux fois, les Apôtres sont envoyés en prison ; puis, la lapidation d'Étienne (7, 54-60) marque le paroxysme de la persécution. Parmi les ennemis les plus acharnés des premiers chrétiens, un Juif pharisien : Saul, le futur saint Paul[1].

Pourtant, le martyre d'Étienne est aussi une chance pour la nouvelle communauté : les Apôtres doivent fuir Jérusalem et ils vont ainsi pouvoir évangéliser les contrées où ils se sont réfugiés. C'est ce que retrace la seconde partie du livre (8,5-12,25). Intervient alors un épisode aussi célèbre que capital : la conversion de Saul. Sur le chemin de Damas, Jésus apparaît au plus farouche de ses ennemis, qui deviendra l'un des plus fervents porte-parole de son message.

Précisément, la troisième partie des Actes des Apôtres (13,1-28,31) est essentiellement consacrée aux missions de Paul. Un premier voyage, en 47-48, le conduit en Asie Mineure. De retour à Jérusalem, l'Apôtre[2] joue un rôle décisif dans les débats qui agitent le concile qui se tient dans cette ville. On y décrète que désormais tous les païens pourront *directement* se convertir au christianisme, sans avoir à passer par l'étape transitoire du judaïsme.

---

1. *Saul* est le nom juif du missionnaire. Il se fera ensuite appeler par son nom latin de Paulus.
2. Dans le Nouveau Testament, le terme *apôtre* s'applique non seulement aux Douze, mais encore à tous les premiers missionnaires de l'Évangile.

L'année suivante, Paul repart pour une tournée de deux ans (Asie Mineure, Macédoine, Grèce). A peine revenu, l'infatigable missionnaire se lance dans une immense pérégrination de six années.

La dernière mission est plus pathétique : Paul est rentré à Jérusalem. Mais là, les Juifs traditionalistes ameutent les foules contre celui qui montre tant de bienveillance à l'égard des *Gentils*[1]. Il est finalement arrêté par la police romaine, puis transféré à Césarée devant le gouverneur. Après deux ans de prison, il est envoyé à Rome pour y être jugé (en 60-61).

III. Les lettres de Paul

• *Finalité des Épîtres*

En son printemps, l'Église a la vigueur enthousiaste de toute institution naissante. Elle en a aussi les faiblesses : les dogmes sont encore flous ; les multiples communautés qui se créent un peu partout sont en butte aux tracasseries des élites religieuses en place ; éloignées les unes des autres, fortement marquées par les particularismes locaux, dépourvues de ce ciment unificateur qu'est une hiérarchie sacerdotale, elles doutent, s'interrogent, se découragent parfois, se façonnent souvent des croyances hybrides. La plupart des lettres de Paul — qui sont de « vraies » lettres — ont été écrites pour répondre à ces nécessités vitales. On doit les lire comme le *journal de bord d'un missionnaire qui fut un infatigable pasteur d'hommes.*

• *L'épître aux Romains (Rm)*

Circonstances : la plus longue[2] — et la plus importante — des épîtres de Paul a été écrite à Corinthe, en 56-57. Elle est adressée à la jeune communauté de Rome, que l'apôtre ne connaissait pas, mais qu'il se proposait d'aller visiter.

---

1. C'est le nom que les judéo-chrétiens donnaient aux païens. Étymologiquement parlant, il correspond à notre « indigène ». Paul, qui ne cessa de militer pour que le christianisme s'ouvrît largement aux païens, est ainsi appelé l'*Apôtre des Gentils*.
2. Les treize épîtres de Paul ne sont pas classées par ordre chronologique, mais par ordre de longueur décroissante. La quatorzième, l'épître aux Hébreux, d'authenticité douteuse, clôt ce qu'il est convenu d'appeler le *corpus paulinien*.

Contenu : qu'est-ce qui importe, la foi en l'Évangile ou le respect littéral de la Loi mosaïque ? La question se posait alors avec acuité, car bien des Juifs convertis au christianisme proclamaient que les païens devaient commencer par embrasser le judaïsme, en particulier se faire circoncire. Paul est formel : le Christ n'est pas mort seulement pour les Juifs ; le message évangélique est de portée universelle.

• *La première épître aux Corinthiens (1 Co)*

Circonstances : en 50-51, pendant son second voyage, Paul avait fondé une Église à Corinthe. Dans cet énorme centre portuaire de 600 000 habitants, régnait le plus total cosmopolitisme : tous les peuples s'y côtoyaient, toutes les idées, toutes les religions. Ville célébrissime aussi pour ses débauches[1]. Bref, une ambiance bien périlleuse pour la récente communauté : en proie aux divisions internes, désorientée par l'immoralité générale, elle en appelle à son guide spirituel, qui lui répond par cette lettre, datée de 55.

Contenu : clarifiant des questions très diverses, l'épître manque totalement d'unité. On en retiendra :

- Un célèbre développement sur la *sagesse du monde* qui n'est que *folie devant Dieu*, et la *folie de Dieu* qui est la véritable sagesse (1,18-31 et 3,18-20).

- Une réponse à une préoccupation des Corinthiens : faut-il se marier ou rester célibataire ? La chasteté dans le célibat, déclare Paul, est préférable au mariage. Mais, à considérer la faiblesse humaine, « pour éviter tout dérèglement, que chaque homme ait sa femme et chaque femme son mari » (7,2). Le mariage est donc un moindre mal.

- Un avertissement : ne cherchez pas votre liberté dans le changement de situation sociale. Avertissement d'actualité, car la communauté chrétienne de Corinthe comprenait un grand nombre de petites gens, des esclaves notamment[2]. Paul justifie son précepte en rappelant la vanité des valeurs humaines. La vraie liberté est celle qui rend libre en Dieu.

---

1. Au point que le verbe grec *vivre-à-la-corinthienne* signifiait « mener une existence dissolue ».
2. Sur les 600 000 habitants de Corinthe, 400 000 étaient esclaves.

- Une prise de position misogyne, à propos d'une question pratique : la femme doit-elle se voiler dans l'assemblée (11,3-15) ?

- Une glorification de l'amour du prochain : « Quand j'aurais la foi la plus totale, celle qui transporte les montagnes, s'il me manque l'amour, je ne suis rien » (13,2).

• La deuxième épître aux Corinthiens (2 Co)

Circonstances : à Corinthe, la situation se délabre. L'Église y est déchirée par les divisions, cependant que des prédicateurs judéo-chrétiens récusent violemment l'autorité de Paul. Après une visite qui fut un échec et une lettre écrite « parmi bien des larmes » (2,4), aujourd'hui perdue, l'apôtre envoie une nouvelle épître à ses turbulentes ouailles. Nous sommes en 57.

Contenu : on ne résume pas une lettre qui est d'abord un cri du cœur. Que je vous aime, répète l'apôtre, et comme vous êtes ingrats ! Mais mon œuvre passée et présente témoigne pour moi et la difficulté de ma tâche en fait toute la grandeur.

• L'épître aux Galates (Ga)

Circonstances : en Galatie, province nordique de l'Asie Mineure, Paul avait fondé une Église qui, elle aussi, lui causait du tourment. Bien des Galates prêtaient une oreille complaisante aux missionnaires judéo-chrétiens qui prétendaient que ce n'était pas le Christ qui sauvait, mais que c'était d'abord le respect des préceptes mosaïques. En 57, lettre virulente de Paul : « O stupides Galates, qui vous a envoûtés ? » (3,1).

Contenu : on aura reconnu le problème théologique qui était au cœur de l'Épître aux Romains. C'est encore l'épineuse question des rapports entre la *foi* et la *Loi* qui est ici posée : qu'est-ce qui assure le salut, l'observance des règles énoncées dans l'Ancien Testament ou la conviction que Jésus a racheté le monde ? Paul est clair : le vrai chrétien est celui qui *croit* au message évangélique. La Loi de Moïse n'a été qu'une étape transitoire : elle a été « notre surveillant en attendant le Christ » (3,24).

• L'épître aux Éphésiens (Ep)

Circonstances : elles demeurent mystérieuses. Cette lettre n'a pu être destinée à l'Église d'Éphèse, port d'Asie Mineure où Paul avait séjourné trois ans, puisqu'il écrit lui-même ne pas connaître personnellement la communauté à laquelle il s'adresse. La date de rédaction est tout aussi hypothétique : vers 59 ? Pire encore : bien des spécialistes pensent que Paul n'est pas l'auteur de cette épître.

Contenu : pourtant, on retrouve dans cette lettre dense et difficile les lignes de force de la théologie paulinienne. D'abord, la prédominance de la foi sur la Loi. Ensuite, l'universalité du message évangélique : venu pour *tous* les hommes, le Christ a ainsi rétabli l'unité du monde. Enfin, l'opposition entre le « vieil homme » et l'« homme nouveau » : par le sacrifice du Christ, chacun peut désormais « se dépouiller du vieil homme » qui est en lui (4,22) et accéder à une vie nouvelle, faite d'amour mutuel.

• L'épître aux Philippiens (Ph)

Circonstances : l'Église de Philippes, en Macédoine, était particulièrement chère au cœur de Paul, car c'était la première qu'il avait fondée en Europe, vers 50. Les Philippiens le lui rendaient bien : quand leur guide avait été incarcéré[1], ils lui avaient envoyé une aide financière. L'apôtre leur répond par cette lettre.

Contenu : Paul est dans les chaînes. Et pourtant, c'est alors qu'il proclame son amour du prochain : « Oui, Dieu m'est témoin que je vous chéris tous dans la tendresse de Jésus-Christ » (1,8). Lequel amour est indissociable de la confiance qu'il a en Dieu : « Je peux tout en Celui qui me rend fort » (4,13). C'est au sein de l'épreuve que l'homme découvre la véritable joie, car alors, il est comparable au Christ qui n'a pas craint de s'abaisser et de souffrir en se faisant homme (2,6-11).

• L'épître aux Colossiens (Co)

Circonstances : Paul est prisonnier à Rome. Or, il apprend qu'à Colosses, petite ville d'Asie Mineure, la

---

1. Paul fut incarcéré à plusieurs reprises. On discute encore sur le lieu où cette épître a été écrite : Éphèse ? Césarée ? Rome ?

communauté chrétienne est en train de basculer dans l'hérésie : d'aucuns, s'inspirant de la philosophie grecque, ne prétendent-ils pas que des puissances célestes dirigent aussi le cosmos ?

Contenu : dans cette missive de rappel à l'ordre et de mise au point, Paul réaffirme la « plénitude » du Christ : « Tout est créé par lui et pour lui » (1,16). Il « est tout et en tous » (2,11).

• *La première épître aux Thessaloniciens (1 Th)*

Circonstances : Thessalonique (aujourd'hui Salonique) était un port très actif de la Macédoine. Paul y avait fondé une importante Église, lors de sa seconde mission. Cette épître, rédigée en 50, est la plus ancienne des épîtres de Paul. C'est le plus ancien texte du Nouveau Testament.

Contenu : l'apôtre répond à une question qui obsédait les premiers chrétiens : quand donc Jésus reviendrait-il sur terre ? Et alors, ressusciterait-on ? Réplique de Paul : oui, les vivants comme les morts ressusciteront. Quant à la date du Grand Jour, on ne peut la préciser. En attendant, soyez vigilants, car « le Jour du Seigneur vient comme un voleur dans la nuit » (5,2).

• *La seconde épître aux Thessaloniciens(2 Th)*

Circonstances : peu après, Paul envoie une nouvelle missive à Thessalonique. Missive de réconfort, car les autorités juives persécutaient la communauté, dont beaucoup de membres étaient issus du paganisme.

Contenu : tenez bon dans les épreuves, proclame l'apôtre, car elles vous vaudront le royaume des Cieux. Quand viendra le Jugement dernier, vos oppresseurs seront châtiés, et vous, les opprimés, vous serez récompensés. Mais ne soyez pas impatients : le Jour arrivera à son heure et des signes l'annonceront. Œuvrez tous à construire la communauté chrétienne, car « si quelqu'un ne veut pas travailler, qu'il ne mange pas non plus » (3,10).

• *Les trois épîtres pastorales (1 Tm, 2 Tm, Tt)*

Les deux épîtres à Timothée et l'épître à Tite sont destinées à deux des plus fidèles collaborateurs de l'apôtre. Elles datent de la fin de sa vie. En s'adressant à ses meilleurs disciples, le vieux Paul songe à assurer la relève. Ces trois lettres sont dites « pastorales », car elles énoncent les règles qui doivent guider les responsables des communautés chrétiennes, les « pasteurs ».

• *L'épître à Philémon (Phm)*

Ce bref billet personnel est adressé au riche Philémon, un Grec que Paul a lui-même converti. Son objet ? Une bien délicate affaire : un esclave de Philémon, Onésime, s'est réfugié auprès de l'apôtre, après avoir subrepticement quitté son maître et l'avoir volé. Or, Paul, qui a jadis baptisé le fugitif, a pour lui une vive affection. Que faire ? Pardonner[1] et recevoir Onésime « non plus comme un esclave, mais comme (...) un frère bien-aimé » (13).

• *L'épître aux Hébreux (He)*

Circonstances : cette épître n'est pas de Paul, mais, comme il est probable que son auteur soit l'un des disciples de l'apôtre, l'usage est de l'inclure dans le corpus paulinien[2]. Cela dit, les circonstances de sa rédaction demeurent énigmatiques : auteur inconnu ; dates fluctuantes (les hypothèses vont de 64 à 96 !) ; quant aux destinataires, les « Hébreux », on ne sait trop où les localiser. Une chose certaine, pourtant : ce sont des chrétiens venus du judaïsme, d'où l'intitulé de cette lettre. Exilés loin de Jérusalem, ils ont la nostalgie du culte ancestral. L'épître aux Hébreux, qui est plus un exposé doctrinal qu'une lettre, a pour but de les persuader qu'ils ont choisi le bon chemin.

Contenu : l'œuvre est d'une grande subtilité argumentative, au point que le lecteur moderne s'y égare souvent. On en retiendra la thèse centrale : Jésus-Christ est la clé de *toute* la Bible. *Tout* ce qui est arrivé avant lui n'était qu'ébauche, promesses, signes avant-coureurs.

---

1. Pour apprécier pleinement l'attitude de Paul, on se souviendra qu'un esclave fugitif était marqué au fer rouge, et même passible de la peine de mort.
2. C'est-à-dire, comme on l'a vu, l'ensemble des œuvres de Paul - ou, du moins, de celles qui ont été placées sous son patronage.

IV. Les sept épîtres « catholiques »

Les dimensions de ce guide ne nous permettent pas d'analyser dans le détail les sept épîtres « catholiques », lesquelles, il faut l'avouer, ont eu moins de résonance que les autres ouvrages du Nouveau Testament. Nous aurons d'ailleurs l'occasion de nous référer à ces épîtres dans nos trois derniers chapitres[1].

V. L'Apocalypse de Jean (Ap)

Circonstances : voici le livre qui clôt la Bible. Livre mystérieux[2], dont l'énigmatique beauté n'a cessé de troubler l'imaginaire collectif de l'Occident. Livre toujours à portée de rêve par son symbolisme suffocant, mais qui doit aussi être replacé dans son paysage culturel si l'on veut éviter les lectures de fantaisie.

Contenu : l'auteur destine son œuvre aux « sept Églises qui sont en Asie » (1,4), c'est-à-dire à l'ensemble de la chrétienté[3]. Puis il déploie ses visions en de vastes fresques allégoriques.

---

1. Chap. VI, VII et VIII.
2. L'auteur n'est probablement pas celui du quatrième Évangile et des trois épîtres qui portent son nom.
3. Dans la Bible, le 7 symbolise la totalité, la perfection.

6 | Le Dieu de la Bible

La Bible est riche, somptueusement riche, trop riche peut-être : que de sujets abordés au long des 76 livres que nous venons de parcourir ! Mais pareille générosité a son revers et risque fort de tourner au foisonnement disparate : quel rapport, en effet, entre l'Exode et les Évangiles, un psaume et une épître de Paul ? Bref, la question se pose avec urgence : est-il possible de percevoir quelque unité de thème dans une œuvre aux genres littéraires si variés et dont les multiples auteurs se sont échelonnés sur tant de siècles ?

Or, indiscutablement, cette unité existe[1] : de vigoureuses lignes de force orientent ce millier de pages. Ce sont ces grands axes organisateurs que le présent chapitre et les deux qui suivent se proposent de repérer : texte avant tout religieux, la Bible doit d'abord se lire comme une œuvre qui offre une certaine conception de la *divinité* ; cependant qu'à partir d'une représentation spécifique du *temps* et de l'*espace*, se dessine une image originale de l'*homme*, de sa grandeur et de sa faiblesse, de sa destinée et de sa liberté, de sa morale individuelle et de son éthique collective.

LE DIEU D'UN PEUPLE
OU LE DIEU DE TOUS ?

Qui songe à la Bible songe immédiatement au *monothéisme* : il n'y a qu'*un* Dieu, créateur, ordonnateur et juge suprême. A lui seul, ce caractère suffirait à totalement démarquer le judéo-christianisme des autres religions de

---

1. On ne cédera pas, pourtant, à la tentation unificatrice : inscrite dans un devenir historique, tributaire de « l'outillage mental » des époques qui l'ont vue naître, la Bible véhicule des notions qui n'ont cessé d'évoluer. D'où des contradictions qui souvent irritent notre esprit occidental : devant une affirmation et sa négation, notre rationalisme a vite fait de gommer l'une des deux pour accéder à une apaisante mais apparente logique.

l'Antiquité, lesquelles étaient polythéistes[1]. Néanmoins, cette donnée de base est plus complexe qu'on ne le croit, car, pour Israël, une question est longtemps restée ténébreuse : si Yahvé était le Dieu *unique* d'*un* peuple, devait-il nécessairement l'être aussi pour *tous* les autres ? Yahvé était-il un *Dieu national* ou un *Dieu universel* ?

Le monothéisme a commencé par être perçu comme la particularité d'une nation bien définie : le Dieu biblique, c'est d'abord le « Dieu d'Israël », le Dieu des ancêtres, celui d'Abraham, d'Isaac et de Jacob. Ainsi, le premier des Dix Commandements prône un monothéisme réservé à Israël, tandis qu'il semble admettre le polythéisme des peuples voisins : « Tu ne te prosterneras pas devant un autre dieu » (Ex 34,14). N'est-ce pas reconnaître implicitement l'existence de divinités autres que Yahvé ?

Mais, Israël a bientôt perçu la conséquence de son option monothéiste : puisque Yahvé est le « Tout-Puissant », capable en particulier de défaire les ennemis, les dieux étrangers ne sont qu'idoles mensongères et humaines fictions. A partir du VIIIe siècle avant notre ère, les prophètes ne se lassent pas de broder sur ce thème. Dieu, répètent-ils, est unique *et donc* universel ; il n'est pas seulement le Dieu d'Israël, il est le Dieu de tous. Dès lors, la mission du « peuple élu » s'éclaire d'un jour nouveau : non point peuple « à part », isolé des autres par l'amour exclusif que lui porterait Dieu, mais peuple héraut, qui doit annoncer au monde qu'il n'y a qu'*un* Dieu, peuple appelé à devenir ainsi la « lumière des nations » (Is 42,6).

LE DIEU DU VERBE

Unique et universel, le Dieu de la Bible est aussi le Dieu du Verbe. Nous avons déjà eu l'occasion de rencontrer cette délicate notion[2] : le Verbe est la Parole divine. Mais ce n'est pas seulement l'instrument de sa volonté, c'est sa volonté même.

1. Ainsi, les religions de Sumer, de Babylone, d'Égypte, de Grèce, de Rome...
2. Chap. V, p. 51, à propos de l'Évangile de Jean.

Une illustration en est donnée par le célèbre récit qui ouvre la Genèse : les moments forts de la Création sont scandés par le refrain « Dieu dit ». Parole agissante et créatrice : « Et Dieu dit : « Que la lumière soit ! » Et la lumière fut. »[1] Comprenons bien : le Verbe fait *immédiatement* surgir à l'existence, sans le moindre décalage temporel entre le mot émis et la chose créée. Pour le Dieu biblique, *vouloir*, *dire* et *faire* ne sont qu'un seul et même acte.

Mais répétons-le : il faut se garder de sombrer dans une conception naïvement anthropomorphique de la Parole divine. La « voix » du Seigneur est plus *volonté-en-action* que parole articulée. Ce qu'a magistralement enseigné Jean dans son évangile. Pour lui, le Verbe et Dieu ne font qu'un : « Au commencement était le Verbe... et le Verbe était Dieu » (1,1).

LE « TOUT-AUTRE »
OU LE « TOUT-PROCHE » ?

• *Le « Tout-Autre »*

On se plaît généralement à opposer le Dieu de l'Ancien Testament à celui du Nouveau : là, un Dieu dominateur, maître absolu du cosmos, volontiers qualifié de « Tout-Puissant », de « Très-Haut », de « Tout-Autre » ; ici, un Dieu accessible, sensible aux malheurs des créatures, presque familier. En termes plus savants, à la transcendance de l'un correspondrait l'immanence de l'autre. Antithèse trop belle pour ne pas être suspecte : que nous apprennent les textes bibliques ?

A l'issue du combat où s'affrontèrent Jacob et l'Ange[2] — en fait, Dieu lui-même —, le fils d'Isaac demande à son adversaire : « De grâce, indique-moi ton nom » (Gn 32,30). L'ange refusa de se nommer. Et quand Dieu apparut pour la première fois à Moïse, sous la forme d'un buis-

---

1. La formule est surtout connue sous sa version latine : « Fiat lux ! Et lux facta est. »
2. La lutte de Jacob avec l'Ange symbolise une lutte intérieure qui s'est terminée par la conversion totale du patriarche.

son ardent, le patriarche fit la même demande. Réponse énigmatique de Dieu : « Je suis qui je suis »[1] (Ex 3,14).

Ces deux exemples sont éloquents : aucun nom humain ne saurait désigner Dieu, car nommer, c'est définir, et définir, c'est délimiter. Certes, on peut *Lui* accorder tous les qualificatifs que l'on veut — et la Bible ne s'en prive pas —, mais tout ce qu'on dit de *Lui* n'est jamais qu'approximatif. Dieu est essentiellement *l'Incomparable, l'Ineffable, l'Inconnaissable.*

Le Dieu de la Bible est si différent de tout ce qui est humain que nul ne saurait l'*imaginer* — au double sens du terme : se le représenter intérieurement et, au sens étymologique, en donner une *image.* Voilà pourquoi le second des Dix Commandements interdit toute représentation matérielle de Dieu (Ex 20,4 ; Ex 34,17).

L'homme ne peut donc se trouver face à face avec l'Éternel. A la vue du buisson ardent, la première réaction de Moïse est de se voiler le visage (Ex 3,6). Plus tard, avant de monter au Sinaï pour recevoir les Tables de la Loi, Moïse demande à Dieu : « Fais-moi voir ta gloire », façon naïvement habile de dire « Montre-toi ». Dieu répond : « Tu ne peux voir ma face, car l'homme ne saurait me voir et vivre » (Ex 33, 18-20). De même, quand Élie, dans le désert, perçoit le bruissement de la « brise légère » qui lui annonce la présence divine, il s'empresse de se couvrir les yeux des plis de son manteau (1 R 19, 12-13).

Dès lors, qui veut contraindre le « Tout-Autre » à devenir le « Tout-Proche » encourt les pires châtiments. C'est la signification du célèbre épisode du « Veau d'or » (Ex 32) : le peuple d'Israël a profité d'une absence passagère de Moïse pour ériger un « veau d'or ». Il ne s'agit pas vraiment d'une nouvelle divinité, comme on l'affirme souvent, mais, conformément aux usages païens, d'un piédestal somptueusement sculpté portant l'effigie d'un veau[2]

---

1. Autre traduction possible : « Je suis ce que je suis. » Rendue à la troisième personne, cette forme verbale est en hébreu :« yahvé »(« il est »). Mais les Juifs avaient un tel respect pour le « Très-Haut » qu'ils n'en prononçaient jamais le nom : ils l'écrivaient « YHWH » et le lisaient en recourant à un autre mot, « Adonaï », c'est-à-dire « Seigneur ».
2. Le choix d'un *veau* a également une signification parodique : cet animal débonnaire devait faire piètre figure auprès du *bœuf* et du *taureau* qu'adoraient bien des peuples de l'époque.

qui, espère-t-on, devrait séduire Yahvé et le faire venir « à domicile ». On sait ce qu'il en advint.

Conception simpliste, assurément, mais l'être humain peut-il toujours se satisfaire d'un Dieu aussi abstrait et aussi lointain ?

• Le « Tout-Proche »

Précisément, il serait hâtif de considérer le Dieu de la Bible comme un pur concept. Il est souvent humain, trop humain même, au point qu'on discerne aisément en lui d'irréductibles traits anthropomorphiques. Le « Tout-Autre » est aussi le « Tout-Proche ».

Ainsi, dans les plus anciens textes bibliques, Yahvé est volontiers présenté sous un jour on ne peut plus aimable. Voyez-le qui s'affaire dans le second récit de la Création (Gn 2-3) : véritable travailleur manuel, il met la main à la pâte, façonne les êtres comme le ferait un potier, plante un jardin, s'y promène placidement dans l'air du soir, coud des tuniques pour Adam et Ève. Même intimité avec Abraham : Dieu s'invite sans façon chez le patriarche, il y dîne de galettes, de lait et de veau (Gn 18, 1-15). Postérieurement, quand il décide de détruire Sodome, il se prête à un marchandage éffréné (Gn 18, 16-32).

• Le Paradoxal

Représentation archaïque, dira-t-on, et redevable de l'idée qu'on se faisait alors des dieux. Il est vrai. Comme il est vrai aussi de souligner que la conception d'un Dieu vivant et « tout-proche » n'a cessé d'habiter le judaïsme. Il suffit pour s'en convaincre de relire la déclaration faite par Moïse avant de mourir : pour percevoir la parole divine, rappelle le vieux guide, nul besoin de « monter au ciel » ou d'« aller au-delà des mers » ; elle est ici, « toute proche » de chacun, dans « (s)a bouche » et dans « (s)on cœur » (Dt 30,12-14). On croirait déjà entendre les paroles de Jésus dans son « Sermon sur la Montagne » : pour prier, il suffit de s'enfermer dans sa chambre, car « ton Père est là, dans le secret » (Mt 6,6).

On ne saurait donc dissocier une transcendance judaïque d'une immanence chrétienne. Fondamentalement, le Dieu de la Bible est à la fois transcendant et immanent,

« tout-autre » et « tout-proche », ici et ailleurs. Cette ambivalence caractérise aussi bien le Dieu de l'Ancien Testament que le Dieu du Nouveau. Elle est l'une des plus significatives particularités de la Bible.

En voici quelques exemples : quand les Juifs s'enfuirent d'Égypte, « le Seigneur lui-même marchait à leur tête : colonne de nuée le jour, pour leur ouvrir la route — colonne de feu la nuit, pour les éclairer » (Ex 13, 13-20). Durant tout l'Exode, Yahvé est présent, mais d'une présence cachée, non directement accessible : le feu et la nuée — si fréquents dans la Bible — le *révèlent* et le *dissimulent* à la fois.

Situation paradoxale qui trouve bien d'autres illustrations symboliques : l'arc-en-ciel, qui se déploie sur fond cosmique, est le signe de la puissance lointaine de Dieu ; mais c'est également la marque de sa proximité, le trait d'union visible entre la terre et le ciel[1]. Il en va de même pour la montagne : à mi-chemin entre l'Ici et l'Ailleurs, l'Humain et le Divin, elle est le lieu privilégié des *rencontres* entre Dieu et ceux qu'il a choisis.

Mais cette situation paradoxale devient souvent situation douloureuse pour l'individu qui s'interroge devant cette *présence absente* : les Psaumes sont pleins de ces appels de détresse adressés à un ciel vide et qui ne répond pas. Sur son fumier, Job fait la tragique expérience de l'ambiguïté divine : *trop proche* par les maux qu'il inflige, le Seigneur est aussi *trop lointain* pour celui qui ne parvient pas à le rencontrer. Jésus lui-même n'a-t-il pas éprouvé le même désarroi quand il s'est retrouvé dans la solitude du supplice : « Mon Dieu, mon Dieu, pourquoi m'as-tu abandonné ? » (Mc 15, 34).

Mais la plus éclairante expression de cet éprouvant mystère est donnée par l'Incarnation. Certes, comme le rappelle l'évangéliste Jean (1,18), en se faisant homme dans la personne de Jésus, Dieu s'est *montré* aux humains. Mais il ne faudrait pas non plus mettre un accent abusif sur l'humanité du Christ en oubliant son irréductible ambivalence : sans cesse, dans les écrits évangéliques, un Jésus

1. Cf. Gn 9, 13.

familier, sinon amical, y voisine avec un Christ lointain, venu d'ailleurs, irrémédiablement « autre », suscitant chez les hommes une fascination craintive[1].

« Notre Père qui es aux cieux... » : la première prière des chrétiens, celle-là même que Jésus enseigna à ses disciples, résume à elle seule ce jeu continuel de l'Apparition et du Caché qui est au cœur de la Bible. « Père » — et à ce titre, intimement lié à l'homme par l'amour — mais père situé dans un espace étranger (« qui es aux cieux »), le Dieu de la Bible est bien le « Tout-Proche » qui est aussi un « Tout-Autre ».

---

1. On songe à l'épisode de la Transfiguration. La scène se tient sur une montagne. Devant les Apôtres « saisis d'une grande crainte » et « tombés la face contre terre », Jésus apparaît soudain dans sa splendeur divine (visage de lumière, vêtements blancs...) : cf. Mt 17, Mc 9 et Lc 28-36.

Le temps et l'espace bibliques

7

LE TEMPS BIBLIQUE : UN VECTEUR ORIENTÉ

Le temps est une notion relative, qui varie beaucoup selon les cultures. Pour un Grec, par exemple, le temps était cyclique, répétitif, infini : périodiquement, le cosmos mourait et renaissait. Dans de nombreuses civilisations extrême-orientales, le temps n'a aucune réalité ; il n'est qu'illusion. Le judéo-christianisme, lui, est fondamentalement une religion du temps[1] : un temps fini, linéaire, orienté, dynamique. En un mot : un *temps historique*.

De la Création au Jugement dernier : telles sont les frontières qui délimitent le temps de la Bible. Ce que traduit clairement la structure générale de l'œuvre : le livre initial est celui des Origines (la Genèse) ; le dernier, celui de la Fin des Temps (l'Apocalypse) ; entre les deux, se déploient deux mille ans de l'histoire d'un peuple.

• Un temps orienté

Or cette histoire est une histoire *significative*, car ce temps fini a un *sens* : il a une *direction* ; il a une *signification*.

En effet, le temps historique n'est jamais que le support du grand dessein de Dieu. La Bible le dit et le redit : Dieu est au cœur de l'histoire humaine, il en est le Maître et l'Agent suprême. *Toutes* les victoires et *toutes* les défaites d'Israël sont voulues par lui. Nul ne peut lui résister :

Le Seigneur a brisé le plan des nations,
Il a anéanti les desseins des peuples.
Le plan du Seigneur subsiste toujours,
Et les desseins de son cœur, d'âge en âge[2] !

---

1. Ainsi, la Création est d'abord création du temps : en créant le monde, Dieu crée aussi la semaine. Par ailleurs, on notera l'importance du vocabulaire temporel dans la Bible, à commencer par le mot qui inaugure l'œuvre: « Béréshite ».
2. Ps. 33.

C'est Dieu qui détient « le Livre », celui où sont inscrits « l'Alpha et l'Oméga »[1], c'est-à-dire l'universelle signification du devenir historique : « Je suis l'Alpha et l'Oméga, dit le Seigneur Dieu, Celui qui est, qui était et qui vient, le Tout-Puissant » (Ap 1,8).

• Le dessein de Dieu

Mais quel est le « plan » dont parle le psaume 33 ? C'est un plan destiné à promouvoir le salut de l'humanité. Car l'homme, qui a originellement opté pour le mal, n'est pas définitivement perdu. Dieu lui accorde des possibilités de rachat. Il lui est toujours possible d'être sauvé et d'accéder au Royaume qui s'installera à la fin des temps. Dès lors, toute la Bible — tout épisode de la Bible — est rythmée par ce triple mouvement :

1. De la Création (la Vie) à la Chute (la Mort).
2. De la Chute au Rachat (la résurrection).
3. Du Rachat à la Vie éternelle.

S'il est indubitable que l'histoire occupe une place majeure dans la Bible, celle-ci n'est pourtant pas un livre d'histoire. Car chaque événement rapporté ne l'est que parce qu'il s'intègre au vaste dynamisme ternaire que nous venons de souligner. Voilà pourquoi la Bible ne sépare jamais la *narration* de la *réflexion*[2] : le fait événementiel n'intéresse que par ce qu'il signifie, par sa fonction dans le dessein global de Dieu.

D'où, chez les auteurs bibliques, un goût prononcé pour les amples panoramas historiques, les récapitulations qui permettent de mieux comprendre aujourd'hui ce qu'on ne comprenait pas hier : avant de franchir le Jourdain, Moïse « fait le point » en un immense discours où il rappelle à ses frères le sens de tout ce qui s'est passé depuis leur sortie d'Égypte (Dt 1-11). L'auteur des deux livres des Chroniques reconstruit toute l'histoire depuis Adam jusqu'à l'Exil. Même fresque historique dans le Livre de la Sagesse (10-19) et dans la Lettre aux Hébreux.

1. Première et dernière lettres de l'alphabet grec. La formule signifie donc : « le commencement et la fin ».
2. Il sied de prendre ce terme dans sa pleine acception étymologique : la réflexion est *retour* sur soi-même, sur son passé.

De façon plus générale, le Nouveau Testament se présente d'abord comme une relecture de l'Ancien à la lumière de cet événement décisif qu'est la venue du Messie : chaque fait du passé y est interprété comme un signe annonciateur du présent[1]. La Bible, c'est bien de *l'histoire recomposée* : le sens n'y apparaît jamais qu'après coup.

• *Une ligne brisée*

Cet infatigable désir qui pousse l'homme à vouloir comprendre la signification de son vécu montre aussi que le temps biblique tient plus de la ligne brisée que de la ligne droite : le cheminement vers le but suprême est fait de hauts et de bas, de phases lumineuses et de périodes obscures, de folles espérances et de grands désespoirs. Et dans la Bible, de nombreux livres sont parcourus par cette double interrogation : *pour quoi* (la cause) et *pourquoi* (le but) ? Comment Job, le Juste, pourrait-il déchiffrer le sens des maux qui l'accablent quand autour de lui prospèrent tant de « méchants » ? Faut-il penser, avec l'Ecclésiaste, que l'existence comporte aussi sa part d'absurdité ? La réponse est à chercher dans le livre d'Isaïe[2] : « C'est que vos pensées ne sont pas mes pensées. Et mes chemins ne sont pas vos chemins » (Is 55, 8).

Il ne faut donc pas confondre le temps des hommes et le temps de Dieu : si la Bible nous dit que l'histoire humaine a un sens, elle dit encore que ce sens n'est jamais immédiatement perceptible, que toute existence doit accepter la part de l'ombre, que seule la Fin des Temps apportera une pleine lumière.

L'ESPACE BIBLIQUE : L'EXIL,
LA MARCHE ET LE ROYAUME

Puisque le temps biblique est orienté, l'espace l'est aussi : la question du *Pour quoi ?* est indissociable de l'interrogation *Vers où ?*

---

1. On se souviendra à ce propos de la célèbre déclaration d'Augustin : « Le Nouveau Testament est caché dans l'Ancien, l'Ancien est dévoilé dans le Nouveau. »
2. Et aussi dans le livre de Job : quand Dieu répond, enfin, à Job, c'est pour lui rappeler que l'homme ne saurait pénétrer les voies du Seigneur.

• Du royaume humain au royaume divin

Trois motifs reviennent constamment dans la Bible :
l'Exil, la Marche, le Royaume. Motifs liés entre eux par un
rapport de cause à effet. On aura reconnu le rythme ternaire que nous avons repéré dans notre étude sur le temps
biblique :

la Chute ⟶ le Rachat ⟶ la Vie éternelle

=   =   =

l'Exil   la Marche   le Royaume

La narration biblique est tout entière animée par ce dynamisme à trois temps. En voici les phases marquantes :

L'exil	La marche	Le royaume
Adam et Ève sont chassés du paradis terrestre	Pour assurer le salut de l'humanité, Dieu choisit un peuple particulier, le peuple hébreu. Ce peuple marche vers le « royaume » promis	Les Hébreux s'installent en Canaan
Mais, une fois installé, ce peuple ne tarde pas à négliger son Dieu - il est *exilé* en Égypte	Moïse est chargé de faire sortir son peuple d'Égypte. Longue marche dans le désert vers la « Terre promise »	La « Terre promise ». Mise en place du royaume terrestre (Saül, David)
Nouvelle décadence (Salomon)⟶ le royaume se scinde en deux, puis est rayé de la carte : l'Exil	Le grand retour vers la patrie	Une découverte : le vrai royaume est céleste, et non terrestre
Tout homme est en exil sur cette terre par son imperfection même	Toute vie n'est qu'une *marche* vers le Royaume de Dieu	Le Royaume divin sera définitivement instauré pour les Justes à la fin des temps

La lecture de ce tableau permet de voir combien les thèmes solidaires de l'*Exil,* de la *Marche* et du *Royaume* sont riches de sens : à la fois particuliers au peuple juif et de portée universelle, concrets et abstraits, géographiques et philosophiques, ils rendent compte de toute destinée humaine.

• *Des notions richissimes*

La notion de *Royaume* et les notions indissociables d'*Exil* et de *Marche* sont en effet riches d'une quadruple leçon :

1. Tout *exil,* qu'il soit matériel ou symbolique, est fructueux. Ainsi, les exils historiques d'Israël ont chaque fois été une catastrophe suivie d'une chance : c'est en Égypte que ce peuple prend conscience de son unité et qu'il est devenu une nation. C'est à Babylone qu'il a repensé son histoire, qu'il a écrit et réécrit la plupart des livres qui seront la charpente de la Bible. De même, tout homme éloigné de Dieu, par ses fautes, sa mécréance ou son ignorance — ce sont d'autres formes de l'Exil — n'est jamais perdu, car l'épreuve est toujours féconde. Comme la « chute » d'Israël a été la « richesse du monde », de même, tout exil est l'annonce d'un nouveau départ (Rm 9,11).

2. La *marche* est une nécessité : l'homme biblique est d'abord un marcheur[1], un itinérant, un être qui sillonne les pistes du désert. Tout être, de même, est « étranger et voyageur sur terre », nous dit la Lettre aux Hébreux. Il est en quête d'une « patrie meilleure » (11, 13-14).

3. L'*installation* — qu'elle soit matérielle, affective ou spirituelle — est périlleuse : chaque fois que le « peuple élu » s'est enraciné quelque part, il n'a jamais tardé à oublier son Dieu au profit du confort et de la certitude. L'homme ne doit pas être un « assis »[2]. Il doit être, rappelle Paul, un « homme de désir », pareil au veilleur qui attend l'aurore avec gourmandise.

1. Étymologiquement, *Hébreu* signifie « celui-qui-passe », « le marcheur ». Cette étymologie a beaucoup fait rêver les Israélites.
2. Le mot est de Rimbaud.

4. Si la sédentarisation terrestre est dommageable, c'est que le *Royaume* n'est pas de ce monde. La patrie véritable est la « patrie céleste » (He 11, 14). La Bible doit aussi se lire comme la lente et difficile prise de conscience de cette vérité : la « Terre promise » n'est pas un espace géographique. C'est un lieu spirituel.

L'homme biblique

8

Si le temps et l'espace sont orientés, si Dieu est le suprême Agent de l'histoire, si les peuples dans sa main ne sont que marionnettes, qu'en est-il de la liberté de l'homme ? De sa responsabilité ? Et — corollaire obligé — de sa morale ? A ces questions vitales, la Bible fournit des réponses originales.

• *Dignité de l'homme*

Comparé à l'homme des religions qui lui sont contemporaines, l'homme de la Bible est investi d'une dignité quasiment divine. Ainsi, pour le Mésopotamien, l'homme ne doit son existence qu'à la paresse des dieux : débordés par le labeur, ils décidèrent de se façonner un valet qui pût les servir. Pour le Grec et le Romain[1], l'être humain était victime des versatilités divines et de l'implacable Destin.

Rien de tel dans la Bible : la création de l'homme y est totalement désintéressée. Mieux, la Création est tout entière anthropocentrique : c'est *pour l'homme* qu'est créé le cosmos, et non l'inverse.

Si l'homme est d'une telle dignité, c'est qu'il participe de la divinité : Dieu l'a fait « à son image » (Gn 1,27). Ainsi, tout comme lui-même a créé les choses et les êtres par la puissance de son Verbe, il charge l'homme de donner un nom aux animaux[2] : nommer, n'est-ce pas, d'une certaine façon, *créer* ? Par son langage, l'homme devient *co-créateur*.

Et les textes bibliques se font souvent l'écho de cette grandeur humaine : « Tu en as presque fait un dieu », chante le huitième psaume. « Je suis une vraie merveille », s'exclame l'auteur du psaume 133.

[1]. Nous parlons évidemment ici des conceptions populaires, et non des théories que pouvait développer tel ou tel philosophe.
[2]. Gn 2, 19.

• Liberté de l'homme

Or, cet homme, tout investi qu'il est d'une majesté quasi divine, est aussi un être faible et « malade »[1], car il est de plain-pied avec le mal, sous l'emprise de l'éternel péché. Mais sa *fragilité* est la rançon de sa *liberté*.

C'est ici que le mythe du *péché originel,* qui, à juste titre, désoriente tant de lecteurs, trouve sa signification.

Adam et Ève, en effet, ne sont pas seulement le premier homme et la première femme[2] : ils représentent l'être humain dans sa vérité primordiale. Le début de l'Histoire, c'est aussi le début de *mon* histoire, c'est toujours le début de *toute* histoire. Or, dès sa naissance, l'être est fondamentalement *libre*. Libre de choisir entre les fruits permis et les fruits défendus. On s'étonne souvent de cet arbre interdit, de ce perfide Serpent qui sort d'on ne sait où. Mais, dans un Paradis exempt de tout mal, quelle serait la liberté d'un homme qui ne connaîtrait que le Bien ? S'il n'y avait pas eu cet arbre prohibé, le couple originel eût été un couple éternellement assisté et infantilisé. La liberté est liberté de *choisir.* Or, on ne choisit pas entre le Bien et le... Bien ! La liberté humaine implique donc l'existence du Mal.

De fait, le judéo-christianisme se veut religion de la liberté. L'Exode trouve ainsi tout son sens : s'il répond à l'appel de Dieu, comme Moïse le fit en Égypte, l'homme peut sortir de son esclavage et se mettre en marche vers un « royaume » de liberté. De même, le Christ est le *libérateur :* par sa mort, il a permis à l'être de se libérer du péché et d'opter librement entre le Bien et le Mal.

• Solidarité et communauté humaines

Pour la Bible, il n'est de morale que collective. Nul ne saurait vivre sans se référer à la communauté humaine. Tout acte individuel est porté au crédit ou au débit de l'humanité : la faute d'un seul, affirme Paul, suffit à ternir la communauté ; mais un seul innocent peut sauver une

---

1. Cette métaphore, fréquente dans la Bible, a évidemment une valeur symbolique : pour Osée, par exemple, le peuple d'Israël est « malade de son infidélité » (11, 7). Le Christ lui-même affirme être venu pour les malades (Mt 9, 12) : les multiples guérisons qu'il accomplit sont aussi des guérisons spirituelles.
2. On se souvient qu'avant d'être des noms propres, *Adam* et *Ève* ont un sens symbolique : Adam, c'est *l'Homme* et Ève, la *Vie*.

multitude de coupables (Rm 3,9). L'humanité est à pro-
prement parler une « ekklèsia », une « église », c'est-à-dire
un « corps » dont chaque membre est solidaire de l'autre[1].

• Les vraies valeurs

Il n'est point de morale sans référence à des valeurs. Or,
dans ce domaine, le message biblique n'est pas toujours
très clair : les préceptes sont contradictoires et, au fil des
siècles, ils ont fourni aux uns et aux autres les arguments
les plus conservateurs ou les plus révolutionnaires. Alors, la
Bible, est-ce un livre passéiste ou un livre d'avenir ? La
morale biblique a-t-elle encore quelque chose à nous dire ?

Certes, Jésus est d'abord celui qui, dans le Sermon sur la
Montagne, fait l'apologie des pauvres de toute espèce (Mt
7).C'est lui encore qui s'intéresse aux humbles et aux
opprimés : sa mission commence par la guérison d'un
lépreux, le salut d'un païen, l'écoute d'une femme. La
plupart de ses disciples ne sont ni des intellectuels ni des
nantis. On découvrirait aisément dans la Bible de multiples et percutantes condamnations du Pouvoir et de la
richesse.

Pourtant il faut être honnête. On trouverait dans la
Bible autant de textes qui prônent le contraire : assurément, Jésus aime les « brebis égarées » et les « fils prodi-
gues », mais il conseille aussi de « rendre à César ce qui est
à César ». Paul n'en finit pas de répéter qu'il ne faut pas
chercher à changer de condition sociale, que l'esclave, la
femme et l'enfant doivent obéissance au « maître
naturel », le mâle, s'ils veulent complaire à Dieu. Que
penser, dans ces conditions, de la morale biblique ?

Il sied d'abord de la considérer pour ce qu'elle est, c'est-
à-dire inscrite dans un contexte *particulier et universel à la
fois*. Par exemple, ce que Paul dit de l'esclave et de la
femme ne doit pas, ne peut pas, être dissocié de la situation qui était la leur dans le monde antique[2]. Trop d'interprétations modernes, qu'elles soient passéistes ou avant-
gardistes, relèvent d'un anachronisme grotesque : on ne
condamnera pas l'Ancien Testament sous prétexte que

---

1. Cette métaphore est fréquente dans le Nouveau Testament.
2. Cf. chap.III.

Yahvé réclame à Abraham le sacrifice de son fils Isaac[1] ; o
ne rejettera pas les Évangiles en dénonçant l'attitude d
Jésus qui préfère la contemplative Marie à la laborieus
Marthe[2] ; mais, à rebours, n'est-il pas aussi malvenu d
voir en Jésus le premier des communistes, sinon le gran
frère des hippies ?

En vérité, à qui veut lire la Bible d'un œil patient (
attentif, deux thèmes moraux paraissent prédominants : l
suprématie de l'amour du prochain dans les relation
humaines ; la totale vanité des valeurs de ce monde.

Le mot *amour* revient sans cesse dans la Bible, en part
culier dans le Nouveau Testament. Mais l'amour bibliqu
n'est pas une tendresse à l'eau de violette : c'est la clai
conscience d'appartenir à l'immense confraternité de
hommes, la perception aiguë d'être tous « enfants d
Dieu ». Amour exigeant donc : comme le rappelle Jésus,
ne suffit pas d'aimer ses amis, il faut aussi aimer ses enne
mis, car Dieu « fait lever son soleil sur les méchants et su
les bons » (Mt 5, 43-48). Pour Matthieu et pour Jean l'épi
tolier, l'amour porté à Dieu et l'amour porté au prochai
sont inséparables : « Si nous nous aimons les uns les autre
Dieu demeure en nous » (1 Jn 4,12).

Nous peinons souvent à apprécier la morale bibliqu
parce que nous la jugeons selon des critères humains, tro
humains. Or — et c'est la deuxième des grandes leçon
morales de la Bible — les valeurs humaines sont vaines : c
qui vaut *ici,* en ce monde, ne vaut pas *là-bas,* au royaum
des cieux. On se souvient des belles perspectives de Paul
la sagesse des hommes n'est que folie devant Dieu et l
sage selon Dieu passe souvent pour un fou aux yeux de
hommes[3]. Tel est bien finalement le sens profond de l
morale biblique : elle clame l'inversion des valeurs, ense
gne que les vraies richesses ne sont jamais celles qu'o
croit, et, ce faisant, elle demeure redoutablement *subve
sive.*

---

1. Lire la Bible en la replaçant dans son paysage culturel, ce sera par exemple con
dérer qu'en sauvant Isaac, Yahvé a interdit les sacrifices humains, encore très f
quents à l'époque.
2. Lc 10, 38-42.
3. 1 Co. Cf. notre chapitre V, p. 54.

Bibliographie

Le Livre des livres », on s'en doute, a lui-même suscité bien des
vres. La présente bibliographie ne peut donc être que modeste.
lous avons retenu, d'une part, les ouvrages d'accès aisé ; de
autre, ceux qui montrent le mieux combien la Bible, en son infi-
ie générosité, se prête aux lectures les plus diverses.

Le contexte historique

A. et R. NEHER, *Histoire biblique du peuple d'Israël*,
Maisonneuve, 1962, 2 vol.

G. NAHON, *Les Hébreux*, Seuil, coll. « Microcosme »,
963.

A. CHOURAQUI, *La vie quotidienne des hommes de la
Bible*, Hachette, 1978.

DANIEL-ROPS, *La vie quotidienne au temps de Jésus*,
Hachette, 1961.

A. JAUBERT, *Les premiers chrétiens*, Seuil, coll. « Micro-
osme », 1967.

Commentaires et interprétations

A. GELIN, *Les idées maîtresses de l'Ancien Testament*,
d. du Cerf, 1966.

Vérité et poésie de la Bible, ouvrage collectif, Hatier,
969. (On ne manquera pas le magistral article de Jean
BOTTÉRO : « Le message universel de la Bible »).

A. NEHER, *Moïse et la vocation juive*, Seuil, coll. « Maî-
res spirituels », 1956 (dern. édit. 1971).

- *Les Psaumes et le Cantique des Cantiques,* présentés p:
A. CHOURAQUI, Presses universitaires de France, 1970.

- *Exégèse et Herméneutique,* par R. BARTHES, P. BEAU
CHAMP et autres (débat), Seuil, 1971.

- P. DIEL, *Le symbolisme de la Bible,* Petite Bibliothèqu
Payot, 1975.

- Ph. NÉMO, *Job et l'Excès du Mal,* Grasset, 1977.

- F. DOLTO et G. SÉVERIN, *L'Évangile au risque de*
Psychanalyse, J.-P. Delarge, 1977-1978, 2 vol.

- B.-H. LÉVY, *Le Testament de Dieu,* Grasset, 1979.

Histoire comparée des religions

- Mircea ÉLIADE, *Traité d'histoire des religions* (1949
Petite Bibliothèque Payot, 1975.

- R.-C. ZAEHNER, *Inde, Israël, Islam, religions mystique*
et religions prophétiques, Desclée de Brouwer, 1965.

- R. CAILLOIS, *Le Mythe et l'Homme,* 1938, Gallimard
coll. « Idées ».

- R. CAILLOIS, *L'Homme et le Sacré,* 1950, Gallimard
coll. « Idées ».

Index thématique

PROFIL LITTÉRATURE

Aubin Imprimeur
LIGUGÉ, POITIERS

Achevé d'imprimer en décembre 1996
Nᵒ d'édition 15694 / Nᵒ d'impression L 52971
Dépôt légal janvier 1997 / Imprimé en France